9783895672831
W0020206

Margit Schreiner

Vater. Mutter. Kind. Kriegserklärungen

Über das Private

Schöffling & Co.

Für Hannes Breuer
(1951–2020)

Erste Auflage 2021
© Schöffling & Co. Verlagsbuchhandlung GmbH,
Frankfurt am Main 2021
Alle Rechte vorbehalten
Satz: Fotosatz Amann, Memmingen
Druck: Pustet, Regensburg
ISBN 978-3-89567-283-1

www.schoeffling.de
www.margitschreiner.com

Vater. Mutter. Kind.
Kriegserklärungen

Da komme ich denn in die Gefilde und die weiten Hallen des Gedächtnisses, wo die gehäuften Schätze sind der unzählbaren Bilder, die von Dingen aller Art meine Sinne mir zusammentrugen. Dort ist auch Alles aufbewahrt, was immer wir denken, indem wir, was unsere Sinne berührt hat, mehren oder mindern oder sonst wie umgestalten; und all das andre, was nicht im Vergessen schon geschwunden und begraben ist, ruht dort geborgen und verwahrt. (…) Dort begegne ich auch mir selbst und erlebe es noch einmal, was und wann und wo mein Tun gewesen und was ich bei diesem Tun empfunden. Dort ist alles, wessen ich mich entsinne, sei es von mir erlebt oder dass ich es von anderen erfahren habe. Aus derselben Masse hervor verknüpfte ich mir selber auch immer neue Bilder erlebter oder dem fremden Erlebnis – weil es meinem eigenen entsprach – geglaubter Dinge mit vergangenen zu einem Gefüge und erwäge auf Grund dessen auch schon künftiges Tun … Groß ist die Macht meines Gedächtnisses, gewaltig groß, o Gott, ein Inneres, so weit und grenzenlos. Wer ergründet es in seiner ganzen Tiefe? Diese Kraft gehört meinem eigenen Ich hier an, sie ist in meiner Natur gelegen, und gleichwohl fasse ich selber nicht ganz, was ich bin. So ist der Geist zu eng, sich selbst zu fassen.

Augustinus, *Bekenntnisse*

Ich glaube, das siebte Lebensjahr des Menschen wird gnadenlos unterschätzt. Alle starren immer nur auf die Pubertät, aber die Pubertät beginnt im Grunde viel früher. So wie sich die Studentenrevolte von 1968 bereits ab 1959 abzeichnete. Es muss sich erst einmal vieles ansammeln, bis es dann explosionsartig austritt. Im siebten Lebensjahr werden die Kinder bei uns gemeinhin eingeschult. Damit beginnt eine neue Ära. Wer vorher unverletzbar war, wird auf einmal verletzbar, wer stark war, dem wird schnell beigebracht, dass auch der Stärkste untergehen kann. Das Zeitalter des Vergleichens mit anderen beginnt, die Ungerechtigkeiten beginnen, die Willkür der Notengebung, die Vernichtung menschlichen Potentials. Wer früher sorglose Nachmittage mit Zeichnen verbrachte oder zehnmal hintereinander versuchte, auf der Teppichstange im Hinterhof zu balancieren, der muss jetzt am Nationalfeiertag die österreichische Fahne zeichnen, und zwar in Rot-Weiß-Rot und innerhalb vorgegebener Schablonen, und im Turnunterricht zur Trillerpfeife der Lehrerin im Kreis laufen. Man nennt das den Ernst des Lebens.

1959 rückte Che Guevara mit seinen Revolutionstruppen in Havanna ein und Fidel Castro übernahm die Macht. Im selben Jahr fand in Tibet der Aufstand gegen die Chinesen Mao Zedongs statt, der Dalai Lama floh nach Indien. Die zweite Phase des Vietnamkriegs begann, Ende des Jahres 1958 erwarb die deutsche Luftwaffe dreihundert Starfighter, von denen in den folgenden Jahrzehnten aufgrund technischer Gebrechen zweihundertsechzig abstürzten, wobei einhundertsechzehn Piloten starben. Die Generalversammlung der Vereinten Nationen verabschiedete 1959 die Deklaration über die Rechte des Kindes, die Antibabypille wurde zur Genehmigung eingereicht, die Barbiepuppe wurde erstmals auf der Toy Fair in New York vorgestellt, der Dichter Salvatore Quasimodo erhielt den Nobelpreis und ich erlebte meine erste persönliche Geldentwertung.

Ich war gerade in der ersten Klasse Volksschule, wog nur sechzehn Kilo, hatte eine Topffrisur, nach dem Ausfall meiner Milchzähne Zahnlücken und es gab noch den Schilling als Währung. Einen Schilling hielt ich fest in der Hand und machte mich damit auf zum Gemischtwarenhändler Kolczak in der Eisenwerkstraße. (Schon Ende der sechziger Jahre, mit dem Bau des Einkaufszentrums Muldenstraße, sollte sein winziges Geschäft verschwinden.) Ich ging den gepflasterten Gehweg neben dem Vöesthäuserblock entlang. Über die damals noch kaum befahrene Eisenwerkstraße, eine Seitengasse der Muldenstraße, an der die (damals verstaatlichten) Vereinigten Österreichischen Eisen- und Stahlwerke (vormals Hermann-Göring-Werke) für ihre Arbeiter und Angestellten, so wie andere verstaatlichten Unternehmen auch, sozial erschwingliche

Wohnungen errichtet hatten. Mein Weg führte durch den kleinen Park mit der prächtigen Teichanlage aus großen flachen Natursteinplatten, über denen die Äste einer Trauerweide herabhingen. Im letzten Sommer hatten mein Cousin Nils aus dem Ruhrgebiet und ich von dort Kaulquappen in ein Marmeladeglas abgefüllt, um in unserer Badewanne ihre Froschwerdung zu beobachten. Jetzt im Winter war das Wasser aus dem Teich ausgelassen, sodass nur ein klägliches steinernes Loch übrigblieb.

Ich hatte mir in der Nacht zuvor ausgerechnet, für einen Schilling hundert Stollwerckzuckerl zu bekommen. Ich weiß nicht, ob es Stollwerck heute überhaupt noch gibt. Sie schmeckten süßsauer, meist mit künstlichem Fruchtgeschmack, und hatten eine gummiartige Konsistenz, lösten sich aber im Gegensatz zu Kaugummi nach langem Lutschen im Mund auf. Wenn man das Lutschen verkürzen wollte und das Stollwerck zerbiss, blieb das zerbissene Stollwerck noch lange Zeit zwischen und auf den Zähnen kleben.

Die Vorfreude beschleunigte meine Schritte. Während ich am Fleischhauer noch vorbeigegangen war, lief ich ab der Tabaktrafik, die ebenfalls mit dem Bau des Einkaufszentrums Muldenstraße verschwinden sollte, zu Kolczak. In kürzester Zeit würde ich mit einem prall gefüllten Einkaufsnetz mit Stollwercken nach Hause zurück stolzieren. Auf dem Rückweg würden alle Kinder aus der Siedlung neidisch auf mein Einkaufsnetz schauen, durch dessen Maschen sich die in grellbuntes Papier eingewickelten Süßigkeiten geradezu hinauszudrängen versuchen würden. Ich war sehr glücklich.

Sonst ging ich nicht so gerne zu Kolczak einkaufen. Bei Kolczak muffelte es. Eine Mischung aus faulem Obst, Mottenkugeln und Bohnerwachs. Das Geschäft bestand aus einem schmalen, schlauchartigen Raum. Ganz hinten stand die Theke, an der Wurst und Käse verkauft wurden. Es war dunkel, sodass den ganzen Tag Licht brennen musste. Die Theke war hoch, und ich musste zur Verkäuferin hinaufsprechen, wollte ich etwas bestellen. Die Verkäuferin überragte mich um eine Körperlänge. Ich befand mich auf Augenhöhe mit den Würsten hinter den dicken Glasscheiben. Die Würste waren angegraut und hatten dunkle Ränder. Mein Cousin Nils hatte einmal behauptet, die Verkäuferin sei eine Frau ohne Unterleib und bewege sich deshalb auf Stelzen fort. Jedenfalls verstand sie mich nie, wenn ich den Einkaufszettel, den mir meine Mutter mitgegeben hatte, zu ihr hinauf vorlas. Meistens musste ich ihn zwei- oder dreimal hintereinander vorlesen. Und als ob das alleine nicht ausgereicht hätte, kam noch die Kassiererin bei Kolczak hinzu. Sie war sehr dick, hatte rote Haare und nahm sich, ohne zu fragen, die Groschen aus meiner Geldbörse. Sie behandelte mich wie ein Kleinkind, das nicht selbst bezahlen konnte.

Als ich an jenem Tag im Jahr 1959 vor der Kassa bei Kolczak stand, neben der die großen Gläser mit den in buntes Papier eingewickelten Stollwerckzuckerln aufgebaut waren, und meinen Schilling auf die Ablage vor der Kasse legte und hundert Stollwerck orderte, lachte die dicke Kassiererin laut auf. »Hundert Stollwerck willst du für einen Schilling?«, fragte sie. »Ein Stollwerck kostet zehn Groschen. Wie viel Stollwerck kriegst du dann für einen Schilling?« »Hundert!«, antwortete ich sofort. »Wie viele Groschen hat ein Schilling?«, fragte die Kassiererin, die mir immer schon unsympathisch gewesen war. »Hundert«, antwortete ich trotzdem noch einmal. »Ja«, sagte die unsympathische Kassiererin, »und wie oft ist zehn in Hundert enthalten?« »Hundert Mal«, antwortete ich geduldig. »Nö«, sagte die Dicke, »zehn Mal. Du bekommst zehn Stollwerck für einen Schilling!« Damit langte sie in eines der Stollwerckgläser und zählte mir zehn Stollwerk auf die Ablage. Gleichzeitig warf sie meinen Schilling in die Kassa. »Da«, sagte sie, »und jetzt gehe heim und übe fleißig rechnen!« Eine Demütigung sondergleichen. Ich steckte die zehn Stollwerck in meine Manteltasche und ging langsam durch den Park zurück. Am ausgelassenen Teich setzte ich mich auf eine der kalten Steinplatten. Die Äste der Trauerweide kitzelten mich im Nacken. Sämtliche Niederlagen meines Lebens fielen mir ein: In der Religionsstunde hatte ich es nicht gewagt, während des Morgengebets aufs Klo zu gehen, sodass sich schließlich eine Lache zu meinen Füßen bildete. Alle Kinder zeigten auf mich. Ich stritt alles ab. Die Lache, sagte ich, sei schon vorher da gewesen.

Mein Cousin Nils hatte mir zu Ostern einmal rohe

Eier ins Bett gelegt, um zu sehen, ob ich imstande war, sie auszubrüten. Meine Mutter hatte damals lange über die Sauerei in meinem Bett geschimpft. Einmal, als Nils zu Weihnachten bei uns zu Besuch gewesen war, hatte ich ein Puppenkarussell geschenkt bekommen, das mein Vater selbst im Keller gebastelt hatte. Wenn man einen Knopf drückte, erklang Musik aus der Standsäule, und die Sitze, die an Kettchen vom Dach des Karussells herabhingen, drehten sich. Das Dach des Karussells war feuerrot. Während meine Eltern in der Mitternachtsmette waren, zerlegte Nils das Karussell in seine Bestandteile, um herauszufinden, wie es funktionierte. Mein Vater hat es nie mehr so zusammenbauen können, dass es sich drehte und Musik zu hören war.

Die Kassiererin war ein böses Weib. Was wäre denn dabei gewesen, wenn sie mir hundert Stollwerck gegeben hätte. Kolczak hatte genug Stollwerck auf Lager. Und der Kassiererin gehörten die Zuckerln ja nicht persönlich. Eine großzügigere Person hätte sie mir, selbst wenn ich mich – nur einmal angenommen – wirklich verrechnet hätte, einfach trotzdem ausgehändigt.

Fast hatte mich getröstet, dass Basti mit den blonden Locken und den blauen Augen aus dem Nachbarhaus sich vor einiger Zeit ebenfalls verkalkuliert hatte. Während ich mich höchstwahrscheinlich nur verrechnet hatte, hatte er sogar die falsche Währung erwischt. Als er am Bahnhofsschalter seine Fahrkarte mit Steinen bezahlen wollte, wurde er gefasst und zur Bahnhofsmission gebracht. Von dort wurden sofort seine Eltern verständigt. Wir alle aus der Siedlung haben gesehen, wie Basti von seinen Eltern heimgebracht worden ist. Er trottete wie ein Schwerverbrecher zwischen seinem Vater und seiner Mutter her. Unter jedem Auge war ein weißes Rinnsal in seinem total verdreckten, schwarzen Gesicht. Das schwarze Gesicht hatte Basti möglicherweise von dem Versuch, bei den Kohleausträgern der Vöest unterzukommen, die an dem Tag Koks geliefert hatten. Oder er hatte sich für die Flucht tarnen wollen, oder er hatte es einfach sattgehabt, mit bleichem Teint, blonden Locken, blauen Augen und einem Kirschmund durch die Gegend zu laufen und sämtliche Menschen um sich herum zu entzücken. Aber dann fiel mir ein, dass Basti ja fast zwei Jahre jünger war als ich. Also praktisch noch ein Baby. Und kein Baby kann eine Siebenjährige trösten.

Mein Hauptproblem damals war: Ich hatte weder einen besten Freund noch eine beste Freundin bei uns im Hinterhof. Basti kam wegen seines Alters als Freund nicht in Frage, Hans Brandlmüller, der in der Wohnung unter Basti wohnte, war mir zu wild, Theo vom übernächsten Haus regte sich bei Auseinandersetzungen so auf, dass er Schaum vor dem Mund bekam und sich auf der Wiese wälzte. Frank und Sungard kamen so gut nie in den Hinterhof spielen. Außerdem war mir Frank zu dick und Sungard zu jung. Sie war sogar noch ein bisschen jünger als Basti. Markus von der anderen Hofseite war drei Jahre älter als ich und kam deshalb ebenfalls nicht in Frage, Edda vom Haus gegenüber interessierte sich hauptsächlich für Markus. Ilse, die neben Markus wohnte, übte den ganzen Tag nur Handstände und Saltos im Hinterhof, und ihre Schwester Emma, die in meinem Alter war und am ehesten als beste Freundin in Frage gekommen wäre, war bereits mit Susi befreundet. Die beiden spielten meist alleine Vater und Mutter, wobei Susi, die immer der Vater war, sich ein zusammengeknülltes Taschentuch vorne in die Hose stopfte.

Gut, ich hatte Sonja, die Tochter unseres Hausarztes, in der Eisenwerkstraße zur Freundin, aber die wurde von ihrer Mutter derart behütet, dass sie nicht bei uns im Hof spielen durfte. Ich musste sie in ihrer Wohnung neben der Arztpraxis besuchen, und das sah niemand aus unserem Hinterhof. Mit einer besten Freundin oder einem besten Freund wäre alles so einfach gewesen. Ich wäre nach der Schule in unseren Hinterhof gegangen und hätte gespielt. So aber wusste ich nicht, ob die anderen Kinder überhaupt mit mir spielen wollten. Ich stand also, besonders in den Sommerferien, oft stundenlang am Küchenfenster und wartete, dass jemand vom Hinterhof nach mir rief. Wenn die Kinder im Hof nach mir riefen, lief ich sofort hinunter und spielte mit ihnen. Riefen sie nicht nach mir, blieb ich stocksteif am Fenster stehen. Was besonders unangenehm war, wenn meine Mutter in der Küche Apfelkompott kochte, was sie oft tat. Zu allem Möglichen wurde damals Apfelkompott gegessen: zu Kaiserschmarrn und Topfenknödel, aber auch zu gekochtem Rindfleisch oder Kartoffelnudeln. Während meine Mutter die Wespen, die vom

Apfelkompott angezogen wurden und in die Küche flogen, mit einem Schneidebrett verjagte, fragte sie von Zeit zu Zeit: »Warum gehst du denn nicht in den Hof spielen?« Es war so peinlich! Aber meine Mutter merkte es nicht einmal. »Dreimal«, sagte sie immer, »mit dem Schneidebrett auf den Wespenkopf geknallt, und die Wespe kommt nicht wieder.« Wenn mein Cousin Nils in den Ferien bei uns zu Besuch war, war das alles kein Problem. Ich ging mit ihm zusammen in den Hof. Bei Verwandten muss man sich nicht den Kopf zerbrechen, ob sie mit einem spielen wollen oder nicht, Verwandte tun das einfach.

Ich war, auf der kalten Steinplatte vor dem ausgelassenen Teich sitzend, inzwischen überzeugt, dass niemand mich liebte. Alle waren schlecht und besonders die dicke rothaarige Kassiererin von Kolczak. Man hatte mich betrogen. Der Schilling war endgültig verloren. Aus Frustration aß ich alle zehn Stollwerck hintereinander auf. Es waren fünf Kaffeestollwerck, die ich nicht mochte, unter den zehn Fruchtstollwerck. Kurz überlegte ich, ob ich zu Kolczak zurückgehen und sagen sollte: »Hundert Stollwerck bitte! Wenn Ihnen ein Schilling als Bezahlung nicht genügt, dann schreiben Sie den Rest eben an. Meine Mutter bezahlt es später.« Aber dann fiel mir ein, dass meine Tante Maria aus Essen, Mutter von meinem Cousin Nils und Frau eines Bruders meiner Mutter, in der ganzen Familie schräg angesehen wurde, weil sie beim Lebensmittelgeschäft in der Siedlung im Ruhrgebiet, in der sie lebten, anschreiben ließ. So was grenzte in den Augen der Familie meiner Mutter an Betrug. Die Tante Maria war überdies evangelisch, während die ganze Familie meiner Mutter katholisch war und in einer katholischen Siedlung wohnte. Ihr Bruder war eine Mischehe eingegangen, wie sie sich ausdrückte. Mein Vater, der auch katholisch war, aber nicht jeden Sonntag in die Kirche ging, war ebenfalls gegen Kredite. Deshalb haben meine Eltern auch das Angebot der Vöest für junge Ehepaare, ein Reihenhaus mit Garten auf Kredit zu kaufen, nicht angenommen, obwohl der größte Wunsch meiner Mutter immer gewesen ist, ein Reihenhaus mit Garten zu besitzen. Mein Vater hat mir davon einmal erzählt und noch Jahrzehnte später die Augenbrauen allein bei der Vorstellung einer Kreditaufnahme hochgezogen. »Deine Mutter und ich haben nie Schulden gemacht«, hat er zu mir gesagt. War es das, was mich in Zukunft erwartete? Ein Leben ohne Stollwerck, ohne Schulden und ohne Freunde? Umgeben von dickleibigen rothaarigen Kassiererinnen, die zu geizig waren, die von ihnen im Lager gehorteten Stollwerck herauszurücken? Im Krieg wären wir froh gewesen, wenn wir ein paar Kartoffeln gehabt hätten, hatte meine Mutter einmal gesagt, als ich den Kartoffelsalat, den sie immer mit viel zu viel Mayonnaise zubereitete, nicht essen wollte, weil mir davon schlecht wurde. Mir war Krieg aber eindeutig lieber als Kartoffelsalat mit zu viel Mayonnaise. Innerlich formulierte ich Wort für Wort meine Kriegserklärung an alle Kassiererinnen, Eltern und Lehrer.

Wer sich auf Kriegspfad befindet, muss lernen, lautlos durch die Wohnung zu schleichen, feindliche Truppen zu belauschen, Kriegspläne auszuforschen, die eigenen körperlichen Kräfte zu stählen. Ich kletterte auf den Ahornbaum im Hinterhof, um in die Küche der Frau Dunger zu spähen, ließ mich den Abhang zu unserem Haus hinunterrollen, um nicht selbst ausgekundschaftet zu werden, übte auf der Teppichstange das Balancieren über reißende Flüsse und Schluchten oder versuchte, aus dem Stand höher als einen Meter zu springen.

Wenn ich heute über einen Baumstamm, der im Weg liegt, klettern will, riskiere ich einen Sturz und in der Folge womöglich einen Oberschenkelhalsbruch. Wer über sechzig auf einen Baum steigt, hat einen triftigen Grund dafür und benützt eine stabile Leiter. Das Balancieren ist bereits auf einem Brett von einem halben Meter Breite riskant, weil im Alter der Gleichgewichtssinn rapide abnimmt.

Kurz: Das siebte Lebensjahrzehnt wird wie das siebte Lebensjahr weit unterschätzt. Was für Kinder ein Jahr ist, dehnt sich für den über Sechzigjährigen zu einem Jahrzehnt, das ihm so schnell vergeht wie ein Jahr. Die Menschen, die an ihrem sechzigsten Geburtstag alle mit ihrer Jugendlichkeit und ihrem Elan überraschten, sterben zwischen sechzig und siebzig reihenweise an Herzinfarkt, Gehirnschlag oder an Krebs. Wahrscheinlich liegt es daran, dass die Menschen, die in ihrem siebten Lebensjahr so mühsam den Ernst des Lebens lernen mussten, in ihrem siebten Lebensjahrzehnt in Pension gehen und auf einmal genauso mühsam lernen müssen, nicht mehr dem Ernst des Lebens verpflichtet zu sein. Das überleben viele nicht.

Meistens nennt man es harmlos die Zeit des Pensionsschocks. Aber während für den Siebenjährigen, der eingeschult wird, immerhin die Hoffnung besteht, dass er eines Tages mit der Schule fertig und frei und ungebunden sein wird, gibt es für den Menschen im siebten Lebensjahrzehnt keine Zukunft. Die Zukunft für den Menschen über sechzig ist der Tod. Ich bin zwar nicht in Pension gegangen, weil Rechtsanwälte und Schriftsteller prinzipiell nicht in Pension gehen, trotzdem bin ich mir der Gefährlichkeit, die das siebte Lebensjahrzehnt birgt, bewusst. Im Grunde verkürzt jedes Buch, das ich schreibe, meine Lebenserwartung. Nicht-Schriftsteller haben ja oft keine Ahnung, wie anstrengend es ist, ein Buch zu schreiben. Also nicht unbedingt das Schreiben selbst, sondern das Rundherum. Ein Schriftsteller, der gerade an einem Buch schreibt, kommt nie zur Ruhe, weil er ununterbrochen an das Buch denkt, das er gerade schreiben will. Oftmals sogar ganz unbewusst. Während der normale sechsundsechzigjährige Pensionist einen Film anschaut und danach schlafen geht, schleppt der sechsundsechzigjährige Schriftsteller, der gerade an einem Buch schreibt, nächte- und tagelang den Film mit sich herum. Im Kopf natürlich. Entweder der Film regt ihn zu etwas an, über das er in seinem Buch schreiben will, dann muss er den

Film in Erinnerung behalten, oder er regt ihn nicht an, dann muss er ihn vergessen, um wieder schreiben zu können. Manchmal ist das Erinnern leichter als das Vergessen. Das Erinnern oder das Vergessen zieht sich oft über Wochen hin. Ein Schriftsteller, der ein Buch schreiben will, kann nicht jederzeit an dem Buch, das er schreiben will, schreiben. Zumindest nicht, wenn er weiblich ist. Da häufen sich plötzlich reife Himbeeren im Garten, die verarbeitet werden müssen, der Geschirrspüler funktioniert nicht und es muss mit der Hand abgewaschen werden, die Wäsche ist durch einen erneuten Regenguss zum dritten Mal nass geworden und muss ausgerechnet im Arbeitszimmer getrocknet werden. Ist der Schriftsteller männlich, ist plötzlich die Umlaufpumpe des Swimmingpools verstopft, ein Handwerker muss her. Niemand, der auf einen Handwerker wartet, kann schreiben. Auch keine Frau, die beim Nachdenken über das folgende Kapitel den ganzen Tag aus schmutzigen Fenstern starrt, weil sie keine Zeit zum Putzen hat. Der männliche Schriftsteller kann allein wegen des Putzens der Fenster durch seine Frau in der Konzentration gestört werden. Ist alles erledigt, kündigen sich die Kinder zu einem Besuch an. Oder die beste Freundin will im Moorteich schwimmen gehen. Oder ein Freund ist in existentieller Not, weil seine streitsüchtige Schwester dessen Wohnung nicht mehr verlässt und er für eine Woche untertauchen muss. Oder. Oder. Oder. Nun wäre das alles kein großes Problem, wenn der Schriftsteller oder die Schriftstellerin zwanzig oder dreißig Jahre alt wären. Sie sind aber sechsundsechzig! Die Kräfte haben schrittweise nachgelassen, die Morgensteife ist längst nicht mehr an das Geschlecht gebunden, sondern hat sich auf den ganzen Körper, mit Ausnahme des Geschlechts, ausgedehnt. Dazu kommen ständige Rückenschmerzen, womöglich Arthritis in den Händen und ein vermehrtes Schlafbedürfnis. Ich weiß nicht, woher das Gerücht kommt, der ältere Mensch brauche weniger Schlaf, ich kenne nur ältere Menschen, die immer mehr Schlaf brauchen. Ich selbst bin mittlerweile bei neun Stunden angelangt. Da die meisten Schriftsteller auch noch Nachtmenschen sind, die nicht vor ein oder zwei Uhr nachts schlafen gehen, dösen sie dann bis zehn oder elf Uhr am Vormittag, was den Arbeitstag erheblich verkürzt. Nach sechs Uhr abends ist in der Regel Schluss mit dem Schreiben. Entweder es steht das Zubereiten des Abendessens an oder der tägliche Spaziergang, weil man sonst körperlich völlig verrottet. Danach kreuzen entweder Freunde auf oder es wird zur Entspannung irgendein *Tatort* im Fernsehen gesehen. Um elf Uhr nachts geht es dann erst so richtig mit dem Lesen im Bett los. Die auf diese Weise verbleibenden sieben oder acht Stunden am Tag können auch nicht gänzlich zum Schreiben genutzt werden, man muss Hygiene, Essenszufuhr, alle möglichen Zwischenfälle und so weiter abrechnen.

Für all das ist der Mensch mit sechsundsechzig zu schwach. Körperlich. Und es ist im Grunde ganz egal, ob er nun Schriftsteller ist oder nicht. Fünf Jahrzehnte des Sitzens am Schreibtisch oder des Stehens am Verkaufstresen oder auf dem Baugerüst, des Rauchens zur Strukturierung eines Arbeitstages und des Trinkens zur Entspannung nachher rächen sich. Der Pensionist, der seit Tagen die Rosen im Garten oder auf dem Balkon einpflanzen will, schiebt sein Vorhaben Tag für Tag auf, weil es zu heiß ist oder weil es regnet oder weil er am Abend zuvor ein Glas Bier zu viel getrunken hat, was sich eben wegen der vielen Jahre, während deren er täglich ein Glas Bier zu viel getrunken hat, auf einmal bitter rächt. Auch der Salat lässt sich bequem nur mehr im Hochbeet einpflanzen. Die Hausfrau, die wie der Schriftsteller ebenfalls nie in Pension geht, schiebt den Frühjahrsputz auf, weil der Rücken vom lebenslangen Putzen schmerzt oder die Hände von Arthritis verkrümmt sind, sodass sie den Putzfetzen nicht mehr kraftvoll genug auswinden kann. Dazu kommt die Altersängstlichkeit. Der geringste Zwischenfall wirft den Menschen mit sechsundsechzig aus der Bahn, sodass er froh sein kann, wenn er wegen eines versäumten Zuges oder einer vergessenen Geburtstagskarte nicht Herzrhythmusstörungen bekommt oder gleich einen Infarkt oder Schlaganfall. Nur die Allerrobustesten überleben ihren siebzigsten Geburtstag. Sie besorgen sich dann eine Jahreskarte für den Botanischen Garten oder den Zoo oder gehen ins Kaffeehaus und genießen ihr Leben. In den Zoos sitzen weltweit während der Woche ausschließlich Pensionisten auf Bänken vor den Käfigen und dösen vor sich hin.

Nils hatte als Baby Kinderlähmung. Das war damals, Anfang der fünfziger Jahre, nichts Ungewöhnliches. Die Schluckimpfung gab es noch nicht. Mein Onkel Otto hatte als Kind ebenfalls Kinderlähmung gehabt. Nils musste als Baby in einem Gipsbett liegen. Ich stellte mir oft vor, er sei während seines ersten Lebensjahres im Gitterbett eingegipst worden. Ohne irgendeine Möglichkeit, sich zu bewegen. Kein Wunder, dass er später so zappelig war und alles zerlegte und dabei das meiste kaputt machte. Er hatte schließlich nachzuholen. Nils hatte einen gekrümmten Rücken und einen Klumpfuß wie mein Onkel Otto, nur noch nicht so ausgeprägt. Die Ärzte hatten ihm damals als Baby eine Lebenserwartung von höchstens zwanzig Jahren gegeben. (Heute ist Nils fast siebzig Jahre alt und trägt eine Sauerstoffmaske. Zu Menschen, die ihn so zum ersten Mal sehen, sagt er: »Man hat mir meinen Starfighter geklaut!«)

Als Kind nahm ich die Behinderung meines Cousins einfach so hin. Erst nachdem Theo aus dem Nachbarhaus einmal zu ihm »Quasimodo« gesagt hatte, fiel mir auf, dass Nils beim Laufen humpelte.

Noch hatte ich keinen Körper. Beziehungsweise: Ich hatte kein Gefühl für meinen Körper. Er funktionierte wie von selbst. Nur wenn jemand anderer etwas an meinem Körper hervorhob oder bemängelte, fiel er mir auf. Die Turnlehrerin hatte einmal gesagt, dass meine langen Beine zum Laufen bei Leichtathletikwettbewerben geeignet seien, und Theo hatte beim Ballspielen gesagt, dass man sich an meinen spitzen Hüftknochen verletzen könne. Sobald meine Eltern spazieren gingen, stand ich jeweils lange nackt vor dem einzigen Ganzkörperspiegel der Wohnung im Schlafzimmer meiner Eltern und starrte meine Beine beziehungsweise meine Hüftknochen an. Es war schwer verständlich, dass das, was ich im Spiegel sah, mein eigener Körper sein sollte. Heute geht es mir wieder so. Manchmal reicht ein versehentlicher Blick in eine Schaufensterscheibe und ich erschrecke. Soweit ich mich erinnere, tat mir der Körper bis zu meinem dreizehnten Lebensjahr nie weh. Außer ich hatte mich verletzt. Ab meinem dreizehnten Lebensjahr allerdings brach alles auf mich ein: Ich hatte plötzlich und ohne Vorwarnung Bauchschmerzen, mir war schlecht, ich hatte Rücken- und Kopfweh und Gliederschmerzen. Jeder einzelne Knochen in meinem Körper tat mir weh. Das Schlimmste war aber diese unendliche Müdigkeit, die mich damals schlagartig überfiel und die im Grunde bis heute nicht ganz verschwunden ist. Ich konnte oft kaum aufrecht sitzen, so müde war ich. Am liebsten legte ich meinen Kopf auf die am Tisch verschränkten Arme und rührte mich nicht. Mein Vater sagte dann: »Sitz gerade!« und meine Mutter sagte »Lass dich nicht so hängen!«, woraus ich schloss, dass sie keine Ahnung von meinem Zustand hatten. Dabei kränkelten sie selbst ununterbrochen. Besonders meine Mutter. Sie jammerte den ganzen Tag. Meistens hatte sie Ischias. Dann bekam sie, während ich mit Sonja spielte, eine Spritze von unserem Hausarzt. Oft hatte sie auch Nasenbluten, war erkältet und hustete oder hatte Schmerzen im Unterleib. Eine Zeitlang machte ich mir täglich Notizen über die vielen Beschwerden meiner Mutter.

Die einzigen Sorgen, die ich mir mit sieben Jahren machte, meinen eigenen Körper betreffend, waren die Angst vor langen Schamlippen und dem Darmverschluss. Da ich in der Nacht oft an meinen Schamlippen herumzupfte und den Eindruck hatte, dass diese schlaffen Häutchen dabei ausleierten, hatte ich die Vorstellung, dass sie mir, wenn ich so weitermachte, eines Tages bis zum Knie hängen und somit irgendwann auffallen könnten. Beispielsweise meinen Eltern, wenn ich in der Badewanne saß und sie gerade ins Bad kamen, oder dem Arzt, wenn er mich untersuchte. Ich versuchte deshalb, nicht an meinen Schamlippen herumzuzupfen, aber wenn ich nicht gerade ausdrücklich daran dachte, zupfte ich doch wieder und meine Angst stieg in der Folge weiter. Das mit dem Darmverschluss war noch viel schlimmer. Jemand musste von einem Fall erzählt haben, bei dem der- oder diejenige eine Darmverschlingung mit anschließendem Darmverschluss gehabt hatte, einen harten Bauch bekommen, sich vor Schmerzen stundenlang im Bett herumgewälzt hatte und schließlich ins Krankenhaus eingeliefert worden war. Anscheinend ging es dabei um Leben und Tod. Meine Angst, dass mich ein ähnliches Schicksal ereilen könnte, hing damit zusammen, dass ich, wenn ich aufs Klo musste, oft nicht sofort aufs Klo ging, sondern so lange wartete, bis die Scheiße sich schon so weit aus meinem Hintern herausgedrückt hatte, dass ich augenblicklich in gekrümmter Haltung ein Klo aufsuchen musste. *Scheißen* sagte damals übrigens niemand. Das Wort existierte gar nicht. Man sagte, dass jemand aufs Klo müsse, klein oder groß müsse, kacken müsse, Aa gehen, einen Haufen machen, Stuhlgang haben, später dann: einen Neger abseilen. Der Zustand des Zurückhaltens war ein äußerst aufregender. Nicht nur äußerst angenehm, sondern auch äußerst riskant. Ein Zustand zwischen Erwartung, Versagen und Erlösung. Dieser Zustand kündigte sich langsam an. Wir hatten gerade Blutwurst mit Sauerkraut zu Mittag gegessen, mein Vater war zurück zur Arbeit gegangen, meine Mutter hatte sich wie immer nach dem Mittagessen auf das Sofa gelegt. Ich saß auf meiner Couch im Kinderzimmer und spielte mit den Puppen, dass wir uns auf einer Bootsfahrt auf dem Amazonas befanden. Fremde Laute drangen aus dem Urwald, tellergroße violette Blüten schwammen neben unserem Boot, und ich spürte, dass ich aufs Klo musste. Langsam und ganz ohne mein Zutun begann sich etwas durch meinen Darm zu schieben. Ein Kitzeln zuerst, eine Art Vibrieren der Darmwände. Das regte augenblicklich die Vorstellungskraft an. Papageien kreischten lauter und Krokodile ließen sich von der Strömung mit halb geöffnetem Maul an uns vorbeitreiben. Die Gefahr, dass einer von uns aufgefressen würde, sollte er aus dem Boot in den Amazonas fallen, stieg. Aber auch die Intensität des Abenteuers.

Indianer könnten sich hinter der grünen Mauer des Urwalds verbergen und mit ihren Pfeilen bereits auf uns zielen, Riesenschlangen könnten sich von den Zweigen und Ästen der Bäume am Ufer auf unser Boot gleiten lassen. Die Luft flirrte. Mit der Gewissheit, dass sich das Kitzeln in meinem Leib steigern würde, kamen Nilpferde zu den Krokodilen dazu, Flamingos standen am Amazonasufer auf einem Bein, aus dem Urwald drangen Urlaute. Ich blieb im Boot sitzen und begann, meine Muskeln zusammenzuziehen, was wiederum ein sehr angenehmes Gefühl auslöste. Jetzt nicht mehr Kitzeln, sondern bereits Jucken, aber nicht ein Jucken wie bei einem Mückenstich, sondern Jucken wie bei einer gerade verheilten Wunde, von der man den Schorf abkratzt. Die Puppen saßen still im Boot und betrachteten den Dschungel, während ich von einer Hinterbacke auf die andere wechselte, um dem Drängen der bereits offenbar stattlichen Wurst in meinem Darm entgegenzuwirken. In dem Moment, in dem sie sich anschickte, aus der Darmöffnung zu treten, explodierte der Urwald. Affen brüllten, Pfeile schwirrten durch die verdichtete Luft, ein Gewitter kam auf, Blitze zuckten, der Urwald flackerte grün und rot und blau. Ich hatte keine Angst, sondern, im Gegenteil, die reine Abenteuerlust. Das Kitzeln war in meinen Kopf aufgestiegen, dort vibrierte die Gehirnhaut. Dieser wunderbare Zustand musste so lange wie möglich hinausgezögert werden. Die Wurst schob sich millimeterweise aus meinem Hintern heraus, ich musste aufstehen, wenn ich nicht wollte, dass meine Unterhose schmutzig wurde. Ich legte also mit dem Boot an, befestigte es am dicken Ast einer Mangrove und befahl meinen Puppen, sofort das Boot zu verlassen. Bis zu den Knien im Amazonas stehend, das Gesicht gegen den Himmel gewandt, setzte ein warmer Regen ein, fiel auf unsere Gesichter und Haare. Wir rissen uns die Kleider vom Leib, standen reglos im Wasser, alle möglichen Pflanzen schlangen sich um unsere Beine. Der Druck stieg. Ich spürte, dass jeden Augenblick der Moment erreicht sein würde, in dem es kein Zurück mehr gab, die Scheiße wollte aus meinem Leib, ich wollte mein Amazonasabenteuer aber nicht beenden, der Kampf spitzte sich zu. In dem Moment, in dem ein riesiges Krokodil auf meine Puppen und auf mich zu geschwommen kam, das Maul jetzt weit geöffnet, konnte ich nicht mehr. Ich überließ meine Puppen ihrem Schicksal und öffnete die Tür meines Zimmers. Wie immer nach einem kurzen Mittagsschlaf saß meine Mutter im Fernsehstuhl und löste Kreuzworträtsel. Ich wollte so unauffällig wie möglich an ihr vorbei. Was aber unmöglich war. Sie sah mich sofort, nachdem ich die Türe geöffnet hatte. »Na«, sagte sie, »schön gespielt?« Es half nichts. Ich musste breitbeinig in stark gebückter Haltung, den Hintern nicht zu fest zusammengekniffen, die Unterhose bereits glitschig feucht, an ihr vorbei aufs Klo laufen. Dort gab ich endlich dem Druck nach und mit einem Gefühl ewiger Erlösung glitt eine riesige Wurst widerstandslos aus meinem Hintern und platschte ins Wasser der Toilette, dass es aufspritzte. Als ich in aufrechter Haltung an meiner Mutter vorbei in mein Zimmer zurückgehen wollte, fragte sie mich, ob ich öfter solche Bauchkrämpfe hätte. Ich nickte, weil es mir lieber war, meine Mutter glaubte, ich hätte Bauchkrämpfe gehabt, als dass sie vermutete, dass ich so lange nicht aufs Klo gegangen war, bis ich mich beinahe angeschissen hätte. Sie bestand sofort darauf, noch am selben Tag mit mir zu unserem Hausarzt zu gehen. Der Hausarzt tastete meinen Bauch ab, stellte fest, dass er nicht verhärtet war, und fragte mich dann, ob ich vielleicht öfter einmal, wenn ich groß müsste, nicht gleich aufs Klo ginge, sondern den Stuhl einhalte. Es war furchtbar. Ich stritt vehement ab, jemals irgendetwas zurück- oder eingehalten zu haben, aber ich glaube nicht, dass er mir glaubte. Er erzählte mit Sicherheit meiner Mutter von seinem Verdacht, weil ich künftig beim Spielen meine Zimmertür nicht schließen durfte.

Vielleicht ist es ja der Vergleich, der unser Körpergefühl ausmacht. Wer in seine eigene Welt versunken ist, vergleicht nicht. Ich habe einen geraden Rücken, Nils hat einen Buckel. Ich bin ganz flach, Edda hat schon einen Busen. Was spielt das für eine Rolle, wenn ich auf dem Amazonas um mein Überleben kämpfe? Sollte es zu einem Darmverschluss kommen, spielt es allerdings eine Rolle. Ich taste täglich meinen Bauch ab, ob er weich oder hart ist. Mitten in die schönsten Abenteuer schleicht sich ein leiser Verdacht, gerade die schönsten Augenblicke könnten mir zum Verhängnis werden, und alles, was besonders leuchtet und strahlt, könnte in ewiger Verdammnis, schrecklichen Koliken münden, und schließlich zum qualvollen Tod führen. Ich habe immer schon die Erbsünde für die verständlichste aller katholischen Dogmen gehalten. Wir werden mit der Sicherheit geboren, dass wir sterben werden. Dieser Gedanke ist mit unserer Geburt da, er muss nur noch reifen im Laufe unseres Lebens.

Heute ist mir mein Körper in jedem Augenblick bewusst. Das liegt daran, dass er wehtut. Der Rücken tut weh und die Beine und die Arme auch. Manchmal, wenn ich in der Früh aufwache, kann ich meinen rechten Arm nicht mehr bewegen. Ich ziehe ihn mit dem linken Arm über meinen Körper und rutsche aus dem Bett. Wenn ich erst einmal sitze, kann ich nach einigen Sekunden ohne allzu große Schmerzen aufstehen. Allerdings stocksteif. Habe ich mich eine Weile in der Wohnung bewegt, Kaffee gekocht und getrunken und bin ins Bad gegangen, bin ich wieder halbwegs beweglich. Die Schmerzen im Rücken gehen allerdings nie ganz weg. Meistens habe ich auch Kopfweh. Das liegt nicht nur am Rauchen. Ich bekomme auch vom Denken Kopfweh. Und vom Lesen und Schreiben. Manchmal, wenn es sehr kalt oder sehr heiß ist, auch vom Spazierengehen. Meinen Stuhlgang halte ich schon seit Ewigkeiten nicht mehr zurück. Meine Verdauung hat sich so entwickelt, dass ich mehrmals am Tag urplötzlich aufs Klo muss. Wenn ich das nicht sofort erledige, wird die Situation brenzlig. Einmal habe ich sogar den

Weg von meinem Arbeitszimmer bis zur Toilette nicht rechtzeitig geschafft. Ich hatte am selben Abend noch eine Lesung in Wels. Und weil ich Angst hatte, dass mir Ähnliches vor oder gar während der Lesung passieren könnte, verwendete ich die Windeln, wie sie mein Mann einmal nach einer Darmoperation benutzen musste und die noch im Verbandskasten herumlagen. Ich hatte während der Lesung ständig das Gefühl, man würde den Abdruck der Windel durch die enge Jeans, die ich immer bei Lesungen trage, sehen. Vor nunmehr fast sechzig Jahren hatte ich nicht das geringste Verständnis dafür, dass einem ständig etwas wehtun kann. Ich dachte, meine Mutter behauptete nur, dass ihr ständig etwas wehtue, weil sie sich in den Mittelpunkt schieben wollte oder weil sie zu faul war, mit meinem Vater und mir etwas Spannendes zu unternehmen. Auch dass sie ständig »Nase juckt« sagte, bevor sie sich die Nase rieb bis sie ganz rot war, erschien mir überflüssig und abstoßend. Und dass sie sich die Beine blutig kratzte, weil sie ebenfalls juckten. Und gar kein Verständnis hatte ich, noch als ich selbst bereits weit über dreißig Jahre alt war, wenn meine Mutter nach dem Essen von Schweinsbraten mit warmem Krautsalat beim Spazierengehen jammerte, dass sie sofort ein Klo brauche. »Sonst mach ich mir in die Hose«, sagte sie, wobei ich mich stets abwenden musste, weil ich mich über so viel Unbeherrschtheit dermaßen ärgerte, dass ich sie am liebsten angeschrien hätte. Zumindest kann man erwarten, dachte ich damals, dass sie keinen Schweinsbraten mit

Sauerkraut isst und danach spazieren geht, wenn sie weiß, dass sie dann mitten in der Stadt oder im Wald urplötzlich aufs Klo muss. Muss sich denn alles wiederholen? Gut, mich jucken weder die Nase noch die Beine und ich blute niemals, aber dennoch sind die Parallelen kaum zu übersehen.

Ich vergleiche mich auch ständig mit anderen. Mit unserer Nachbarin, die über achtzig Jahre alt ist und jedes Jahr im Winter zwei Monate nach Südafrika zum Golfen fährt, mit ihrem Exmann, der Alzheimer hat und so viel isst, weil er immer vergisst, dass er schon gegessen hat. Mit meinem Mann, der dreimal so schwer tragen kann als ich, mit einem gleichaltrigen Freund aus der Stadt, der nicht mehr ins Ausland fährt, weil ihm das zu anstrengend ist. Mit meiner Freundin, die trotz Rauchen und Alkoholkonsum nicht keucht, wenn sie bergauf geht, mit meiner anderen, um nur fünf Jahre älteren Freundin, die inzwischen fast so einen Buckel hat wie mein Cousin Nils und geschrumpft ist. Je nachdem, wie der Vergleich ausschaut, fühle ich mich gut oder schlecht. Fühle ich mich zu schlecht, vergleiche ich meinen Zustand mit dem meiner Mutter damals, und es geht mir gleich besser. Es sind immer die Vergleiche.

Wir waren gescheit und Justus war dumm. Das stellte sich sehr schnell heraus, als wir Justus an den Marterpfahl banden. Er schrie und wimmerte, wie das kein tapferer Indianer je getan hätte. Also banden wir das Seil fester an den Baum. Justus schrie noch mehr. Wir mussten ihn knebeln, sonst hätte seine Schreierei noch sämtliche Mütter an die Küchenfenster gelockt. Obwohl es eine logische Folge seines eigenen Verhaltens war, dass wir ihn besonders fest an den Baum binden mussten, war doch eine Ahnung da, unsere Mütter würden das nicht gutheißen. Gut, darauf konnten wir keine Rücksicht nehmen, denn unsere Mütter waren eindeutig weder eiserne Squaws im Kampf gegen feige Farmer, noch tapfere Farmerinnen, die ihre Familien gegen Indianer mit Gewehren und Messern verteidigten. Unsere Mütter waren genau solche Weicheier wie Justus. Er begann sogar mit geknebeltem Mund zu verhandeln. Nuschelte irgendetwas von einem Schilling für jeden von uns, wenn wir ihn losbanden. Hatte dieser Mensch keine Ahnung, dass Geld keine Rolle spielt im Wilden Westen? Wer im Wilden Westen Geld braucht, schürft nach Gold. Markus hatte sogar einmal einen großen Klumpen in unserer Sandkiste gefunden. Es hatte tagelang vorher geregnet und die Sonne war gerade herausgekommen. Wir standen um den festen Klumpen herum, der in der Sonne glitzerte und funkelte. Da das Gold noch mit Wasser und Sand vermischt war, legten wir den Klumpen in die Sonne zum Trocknen. Markus holte dann das Nudelsieb seiner Mutter – damals gab es noch Holzsiebe mit ganz feinem Draht, nicht so grobe Siebe wie sie heute zum Abseihen dicker Spaghetti verwendet werden –, und wir legten den Klumpen, der schon nicht mehr so stark glitzerte, vorsichtig in das Sieb. Gemeinsam schüttelten wir es und der Klumpen zerfiel in Sand. Markus sagte damals, das sei ganz natürlich beim Goldschürfen, wir bräuchten einfach bessere Geräte, um die feinen Goldpartikel vom Sand zu trennen.

Justus ging jedes Jahr am sechsten Jänner mit den Heiligen Drei Königen durch die Siedlung. Die Heiligen Drei Könige sangen und sagten ihr Sprüchlein auf, und Justus stand mit einem Stern in der einen und einer Büchse in der anderen Hand daneben und sammelte Geld. Es war einfach lächerlich. Niemand von uns wäre jemals als einer der Heiligen Drei Könige, die ja meist noch nicht einmal Volksschüler waren, verkleidet durch die Gegend gezogen und hätte gesungen. Und schon gar nicht wären wir auf die Idee gekommen, die verkleideten Kleinkinder zu begleiten und mit einer Büchse mit einem überdimensionalen Kreuz darauf zu klimpern. Aber Justus gehörte nicht zu unserer Siedlung. Justus wohnte mit seiner Mutter in einem eigenen Haus abseits des Hofes, auf einem kleinen Hügel. Sie hatten sogar eine eigene Zufahrt. Es hieß, der Familie von Justus habe einmal die ganze Gegend gehört. Ob das stimmte oder nicht, weiß ich nicht, Tatsache war, dass Justus keinen Vater hatte. Er war eindeutig ein Greenhorn, das mit knielangem dunkelgrünen Lodenmantel und einem dunkelgrünen Lodenhut mit Feder durch den Wilden Westen lief und kleine Kinder anführte. Er selbst war aber schon vierzehn Jahre alt, also ein großer Fang für uns. Wir beschlossen, ihn durch Kitzeln zu martern. Ich weiß nicht, ob Justus während der Marterung lachte oder weinte. Er hatte ja einen Knebel im Mund. Jedenfalls liefen ihm die Tränen übers Gesicht. Es war wie beim Einhalten des Stuhlganges. Je mehr Justus sich wand, desto strahlender wurde der Wilde Westen. Die Sonne stand tief am Horizont und beleuchtete rotglühend den Marterpfahl, wir tanzten johlend um den Baum herum, das Stampfen unseres Kriegstanzes und das Heulen des dazugehörigen Kriegsgeschreis verselbstständigten sich. Wir konnten nicht mehr aufhören. Die Marterung fand ein abruptes Ende, als Herr Rosenfeldt, der Vater von Theo, der nur ein Bein hatte, mit seinen Krücken in den Hof stürmte. Wir liefen davon und Herr Rosenfeldt band Justus los.

Das Ganze hatte ein Nachspiel. Justus war fest in der Kirchengemeinde verankert. Meine Mutter ebenfalls. Der Pfarrer selbst hat sie angerufen. Ich habe das Gespräch belauscht. Den Pfarrer habe ich natürlich nicht gehört. Aber meine Mutter hat mindestens zweimal gesagt: »Sie haben ja recht, Herr Pfarrer. Aber Kinder sind eben grausam.« Anschließend hat sie sich, ohne zu fragen, dicht neben mich auf die Couch im Kinderzimmer gesetzt und ganz sanft mit mir gesprochen. So etwas tat sie öfter. Zum Beispiel, als sie mich aufklären wollte oder nachdem sie mich mit Sonja beim Doktorspielen erwischt hatte oder als sie mir erklärte, dass ich täglich meine Unterhose wechseln solle, für den Fall, dass ich einmal überraschend ins Krankenhaus eingeliefert werden müsste. Ich hasste diese Gespräche. Im Anschluss an ihr Telefonat mit dem Pfarrer sagte sie mit sanfter Stimme irgendetwas vom Unterschied zwischen den Menschen, und dass es eben ganz arme Menschen wie Justus gäbe, die behindert seien. Und dass man mit Behinderten besonders behutsam umgehen müsse. Ich verstand kein Wort. Inwiefern war Justus behindert? Er hatte weder nur ein Bein noch einen Buckel. Trotzdem versprach ich meiner Mutter nach dem langen Gespräch auf der Couch in meinem Kinderzimmer, in Zukunft besonders achtsam mit Behinderten umzugehen. Nur damit sie nicht so dicht neben mir sitzen blieb. Es war furchtbar unangenehm. Dabei hatte ich noch Glück gehabt. Theo wurde von seiner Mutter, die viel jünger war als sein einbeiniger Vater und mit ihren hautengen schwarzen Hosen und den langen schwarzen Haaren und den schwarz umrandeten Augen aussah wie Juliette Gréco, grün und blau geschlagen, Markus bekam eine Woche Hausarrest, Emma musste Scheitelknien und Hans Brandlmüller durfte zwei Wochen lang nicht *Fix und Foxi* lesen.

Kinder werden im Allgemeinen in jeder Hinsicht unterschätzt. Erwachsene erzählen einander die haarsträubendsten Geschichten neben ihnen, weil sie glauben, dass die Kinder sie sowieso nicht verstehen. Eltern streiten im Nebenzimmer, weil sie denken, die Kinder seien so in ihr Spiel versunken, dass sie durch die dünnen Wände nichts hören, am Telefon reden sie schlecht über bestimmte Nachbarn, weil sie nicht auf die Idee kommen, die Kinder könnten lauschen. Aber Kinder sind Spione (Aufklärer im Krieg). Sie sind überall, und alles, was nicht alltäglich ist, interessiert sie. Und genau das merken sie sich dann ein Leben lang. Allerdings sind Erinnerungen keinesfalls statisch. Sie verändern sich mit dem- oder derjenigen, der oder die sich erinnert. So werden spätere Erfahrungen zurückverlegt in frühere.

Ich kann damals Juliette Gréco noch gar nicht gekannt haben. Es muss also eine Rückerinnerung sein, dass mich die Mutter von Theo an Juliette Gréco erinnerte. Der Vater erinnert mich übrigens an den einbeinigen Kriminalassistenten Schremser aus der Krimiserie *Kottan ermittelt*, die überhaupt erst 1976 entstand.

Unsere Siedlung bestand aus zehn aneinander gereihten Häusern. Jedes der zehn Häuser hatte einen eigenen Eingang, war zwei Stockwerke hoch und wurde von vier oder fünf Parteien bewohnt. Die Häuser lagen erhöht über der Muldenstraße. Zwischen den Häusern und der Muldenstraße lag eine terrassierte Wiese. Sowohl vor dem ersten als auch vor dem letzten Haus der Siedlung führte eine Steintreppe mit Geländer zur Muldenstraße hinunter- bzw. hinauf. Herr Bartik hat später, nachdem er den Hausmeisterposten übernommen hatte, versucht, die Wiese zu bepflanzen. Mit Rosenstöcken, Fliederbüschen, Primeln, Krokussen und so weiter, aber es ist ihm nicht gelungen. Alle Kinder benutzten die Wiese im Winter als Rodelbahn und in der übrigen Zeit als Abkürzung zur Muldenstraße hinunter und zertrampelten dabei alles. Herr Bartik drohte mit

Anzeigen. Er war überhaupt eine Nervensäge. Er arbeitete in der Vöest im Schichtbetrieb und wollte nachmittags schlafen. Wenn wir Kinder von der Schule kamen und vom langen Stillsitzen dort endlich, im Hof angelangt, ungehemmt herumliefen und schrien, riss Herr Bartik die Blendläden zu seinem Schlafzimmer im Parterre, das nach hinten in den Hof hinauswies, auf und brüllte verschiedene Schimpfwörter. Was uns ja noch egal gewesen wäre, aber er verfasste dann, nachdem er Hausmeister geworden war, sogar ein Rundschreiben an unsere Eltern, in dem er mit Kündigungen drohte. Die Eltern waren sich zwar darüber einig, dass Kinder nachmittags im Hof spielen können müssten, aber wir wurden doch jedes Mal mit langen Ermahnungen hinausgeschickt, dass Herr Bartik in der Vöest nachts unter Lebensgefahr an irgendwelchen Fließbändern mit glühendem, flüssigem Stahl arbeitete und deshalb tagsüber schlafen müsse. Und so weiter. Sehr lästig war das. Manchmal spielten wir extra vor dem Schlafzimmerfenster von Herrn Bartik Völkerball. Es war dann immer eine Mutprobe, wer sich traute, in Herrn Bartiks privaten Steingarten, der mit Edelweiß, Seidelbast, Enzian, niedrigen Zierbüschen und verschiedenen Gewürzen bepflanzt war, hinunterzusteigen und den Ball zu holen. Der Schwachpunkt der Bartiks war ihr Hund, ein Foxterrier, der am liebsten Kaffee trank. Man hörte ihn in der ganzen Siedlung jaulen, wenn die Bartiks Kaffee tranken und er nichts davon bekam. Haustiere waren laut Hausordnung der Siedlung nicht erlaubt, sondern nur geduldet. Der Foxterrier war unser Druckmittel gegen Herrn Bartik. Wir stellten Nescafe in Pappbechern unter das Fenster der Küche, in der der Foxterrier schlief, und er fing sofort zu jaulen an. Da stand dann Lärmbelästigung gegen Lärmbelästigung.

2018 besuchte mich ein sehr netter junger Germanist mit schulterlangen Haaren und einem Freundschaftsband am linken Handgelenk an meinem neuen Wohnsitz im abgelegenen Waldviertel, um mich zu Schreibprozessen zu interviewen. Seinen Fragen entnahm ich, dass er sich offenbar intensiv mit der Frage beschäftigt hatte, wie man es als Autor schafft, täglich von neuem in die Grundstimmung seines jeweiligen Romans, an dem man ja Monate, Jahre oder manchmal sogar Jahrzehnte schreibt, hineinzukommen. Ich hatte die Tür von meinem Arbeitszimmer geöffnet, um auf meiner Arbeitsterrasse eine Zigarette zu rauchen. Der junge Germanist, der weder rauchte noch trank, wie ich später beim Abendessen feststellte, war in meinem Arbeitszimmer auf dem hellblauen Fauteuil, auf den ich in den Schreibpausen wechsle, um nachzudenken, sitzen geblieben und fragte mich von dort, ob ich besondere Rituale hätte, um in Schreibstimmung zu kommen, Fetische etwa oder Musik oder ob ich beim Schreiben besondere Kleidung trüge. Ich verneinte. Wir gingen im Anschluss an das Interview noch zwei Stunden im Naturschutzgebiet, das direkt an meinen Garten grenzt, spazieren und unterhielten uns darüber, dass die Keimzelle zu 1968 bereits 1959 gelegt worden sei. Dann aßen wir noch zusammen zu Abend. Wir waren uns vollkommen einig über die katastrophale Aufarbeitung von 1968. 2018 waren überall zum 50. Jubiläum der Studentenrevolte halbherzige Ausstellungen zu sehen gewesen, oder im Fernsehen wurden Erinnerungen von irgendwelchen Schauspielern, die 1968 besonders wild gewesen zu sein vorgaben, gezeigt, oder es gab Sendungen im Rundfunk, wo Historiker sprachen, die 1968 noch in den Windeln gelegen hatten. Ich war sehr zufrieden, dass ein so junger Mensch, der noch dazu Ähnlichkeiten mit Berthold hatte, der damals unsere Schülerzeitung gedruckt hatte und in den ich verliebt gewesen war, genau über 1968 informiert zu sein schien. Nachdem ich mehrere Gläser Prosecco getrunken hatte, offenbarte ich ihm, dass ich am liebsten in der Kleidung schriebe, die ich in der Nacht zuvor getragen hatte. Direkt vom Bett an den Schreibtisch! Weder ins Bad gehen noch frühstücken, keine Zivilisationsakte, keine Kontrollzwänge. Nur Kaffee und Zigaretten. Der Germanist war beeindruckt. Nicht einmal vorher Zähne putzen, fragte er. Ich schüttelte den Kopf. Was ich ihm nicht sagte, war, dass es in Wirklichkeit noch viel schlimmer ist: Ich trage am liebsten dieselbe Kleidung, bis ich den jeweiligen Romanabschnitt, an dem ich gerade arbeite, fertig habe. Das kann, je nach Länge des Abschnitts, einen Tag oder eine Woche dauern. Ich schlafe während dieser Zeit mit ein- und demselben ärmellosen T-Shirt und ein- und demselben Seidenleibchen drüber, im Winter noch mit einer meiner dünneren Fleece-Jacken und einer dicken Trainingshose, die ich ebenfalls nicht wechsle. Ich wechsle in der Zeit auch nicht meine Socken. Ich wechsle nicht einmal meine Unterhose. Vielleicht ist das eine der wenigen rebellischen Akte, die einem im Alter noch bleiben. Du könntest jederzeit einen Schlaganfall erleiden oder einen Herzinfarkt, du könntest in deinem eigenen Haus von Einbrechern überfallen und an deinem Schreibtischstuhl stundenlang gefesselt sitzen, bis du befreit und sofort ins Krankenhaus eingeliefert wirst, und trägst trotzdem nicht täglich eine frische Unterhose!

Mit dem Alkohol muss man allerdings aufpassen im Alter. Bruno, mein Mann, sagt mir das immer wieder. Du hast genuschelt, sagt er zum Beispiel nach einer Einladung bei Freunden, oder er sagt, ich hätte im Laufe des Abends mehrmals die gleiche Geschichte erzählt. Oder ich hätte eine Geschichte erzählt, die ich besser nicht erzählt hätte. Und tatsächlich kann ich immer wieder beobachten, dass Menschen fortgeschrittenen Alters, die in Gesellschaft nicht oder nur mäßig trinken, ein viel feineres Differenzierungsvermögen in Diskussionen oder Auseinandersetzungen haben.

Der Germanist fand das damals offenbar nicht. Er schrieb mir nach seinem Besuch ein langes Mail, in dem er vorschlug, unser Gespräch zu 1968 bei Gelegenheit fortzusetzen. Außerdem äußerte er sich begeistert über meinen neuen Wohnsitz, die Größe des Hauses und die Lage am Rande des Naturschutzgebietes. Das tat mir ausgesprochen gut. Viele unserer Freunde und Bekannten hatten unserem Umzug sehr skeptisch gegenübergestanden. Was wollt ihr denn im Waldviertel, war die häufigste Frage. Der Zusatz: In eurem Alter! So etwas nagt unterbewusst.

Meine Vorgehensweise, um im Schreibprozess zu bleiben, fand er sensationell. Er habe noch nie einen Schriftsteller interviewt, sagte er, der sich dermaßen gegen jeden Kontrollzwang gewehrt habe. Die meisten Schriftsteller, schrieb er, täten im Gegenteil alles, um die Kontrolle über sich und ihre Romane aufrecht zu erhalten. Eigenartig eigentlich!

Eine der Haupteinwände vieler unserer Freunde war die Größe unseres neuen Wohnsitzes. »Wie willst du das alles putzen?«, fragte eine besorgte Freundin und gab mir zu verstehen, dass ein Haus, selbst wenn es nicht so groß ist wie das unsere, ununterbrochen Arbeit macht. Erneuerungen, Reparaturen, Ausbesserungen et cetera. »Und wie willst du denn den Garten pflegen mit deinen ständigen Rückenschmerzen?« Auch unser Swimmingpool stieß auf Ablehnung. Abgesehen davon, dass man mich von allen Seiten davor warnte, wie pflegeintensiv so ein Swimmingpool ist, sei es auch eine umweltfeindliche Wasserverschwendung. Und muss chemisch behandelt werden, weil er sonst veralgt. Und wie lange würde ich überhaupt noch imstande sein, zu schwimmen? Da nützte es gar nichts, wenn ich erklärte, dass unser Haus im Waldviertel samt Swimmingpool und Saunahäuschen günstiger gewesen war als eine mittelgroße Etagenwohnung in Linz. Der Dolchstoß war die Anmerkung eines Freundes: »Ein Umzug in unserem Alter ist verlorene Lebenszeit!«

Ich weiß auch nicht, wie wir das alles schaffen sollen. Der Garten ist Gott sei Dank klein. Und wer sagt, dass man ihn ununterbrochen pflegen muss? Außerdem bewohnen wir nur eine Etage unseres Hauses. Die Werkstatt im Parterre wird ja kaum benutzt und die Wohnung im zweiten Stock ist für Gäste. Tagsüber gehen wir jedenfalls, seit wir hier wohnen, täglich spazieren. Nachmittags trinken wir Tee an dem Tisch vor dem Saunahaus und abends sitzen wir mit einem Glas Wein auf der oberen großen Terrasse und schauen dem Sonnenuntergang zu. Unsere Lebensqualität hat sich enorm verbessert. Sicherlich, wer weiß, wie lange noch. Vorläufig sind wir jedenfalls glücklich.

Das Problem mit Sonja war, dass sie keine Fantasie hatte. Oder so gut wie keine. Vielleicht lag das daran, dass ihre Mutter ihr nichts vorlas, was Sonja irgendwie beunruhigen konnte, oder dass Sonjas Eltern kein *Meyers Lexikon* hatten, in dem die Indianerstämme Nordamerikas nicht nur akribisch aufgezählt, sondern sogar aufgezeichnet waren. In Farbe! Übrigens auch verschiedene Volkstämme, bei denen hauptsächlich Wert auf die verschiedene Kopfgröße gelegt wurde. Märchen las die Mutter Sonja auch nicht vor, weil die so grausam waren. Wahrscheinlich hängt die Fantasie doch erheblich mit der Weltkenntnis zusammen. Wer nichts kennt, kann sich auch nichts vorstellen. Wenn wir zusammen spielten, war Sonja immer ein wenig unkonzentriert.

Ich hatte den Eindruck, dass sie keine Ahnung hatte, was diese Spiele sollten. Daher konnte ich ihr immer nur Nebenrollen geben, bei denen es ganz egal war, ob sie sich hineinleben konnte oder nicht. Ich war beispielsweise die Prinzessin, die in einer Kutsche flüchtete, damit sie den hässlichen Prinzen nicht heiraten musste, den ihre Eltern für sie vorgesehen hatten, und Sonja war die Dienerin. Ich hatte zehn Kinder und Sonja war die kinderlose Gouvernante. Ich war ein gefährlicher Räuber und Sonja war der Knecht, der dem Räuber half, seine Stiefel an- oder auszuziehen. Das muss die Mutter von Sonja geärgert haben. Sie hat einmal zu meiner Mutter gesagt, dass ich mich immer in den Mittelpunkt spielen müsste. Meine Mutter, die mit Sonjas Mutter befreundet war, hat abends zu meinem Vater gesagt, dass die Mutter von Sonja einen Komplex habe. Das Wort Komplex verstand ich damals nicht. Aber aus dem Gespräch mit meinem Vater, das ich aus dem Kinderzimmer belauschte – meine Eltern dachten, ich schliefe schon –, ging hervor, dass der Vater von Sonja kurz nach dem Krieg seine Ausbildung zum Arzt gemacht hatte und dass sie damals jeden Medizinstudenten bei den Prüfungen durchkommen ließen, weil ja so viele Männer im Krieg gefallen waren. Meine Mutter war außerdem der Ansicht, dass Sonjas Mutter, die wie meine Mutter selbst vor ihrer Heirat Krankenschwester gewesen war, sich den Vater von Sonja ganz bewusst geangelt hätte, eben weil er Arzt war. So hatte ich das bis dahin noch nicht gesehen. Allerdings war mir immer schon aufgefallen, dass der Vater von Sonja klein und dick, seine Frau groß und schön war. Die Erklärung meiner Mutter erschien mir daher einleuchtend, weil wie wäre sonst ein so kleiner Mann zu einer so stattlichen Frau gekommen. Warum sollte sie aber aus diesem Grund einen sogenannten Komplex haben? Und warum sollte sie aus diesem sogenannten Komplex heraus annehmen, ich spielte mich auf? Es musste doch sogar ihrer Mutter klar sein, dass Sonja keine Fantasie hatte und deshalb keine Hauptrolle in den Spielen übernehmen konnte. Rätsel über Rätsel! Ein wenig lästig, aber weniger rätselhaft war auch, dass Sonja sich immer mit ihrem Vater gegen ihre Mutter verbündete. Ich sah durchaus den Nutzen. Wenn Sonjas Mutter beispielsweise wollte, dass Sonja das Geschirr abtrocknete, dann griff sofort ihr Vater ein. Er bot sich selbst an, das Geschirr abzutrocknen. Gleich das erste Glas ließ er fallen und zwinkerte Sonja zu. Sonjas Mutter verzichtete dann auf jegliche Mitarbeit sowohl von Sonja als auch von ihrem Vater in der Küche.

Das war schon etwas ganz anderes, wenn mein Cousin Nils zu uns zu Besuch kam. Da war immer etwas los. Zwar wollte Nils auf keinen Fall mit mir Prinzessin auf der Flucht spielen, aber dafür trieb ihn etwas anderes an. Mit Nils stieg ich in einsturzgefährdete Bunker, wir kletterten auf der Suche nach einem Adlerhorst so hoch auf die Platane im Hinterhof, dass unser Nachbar uns mit Hilfe einer riesigen Leiter retten musste, wir probierten, wer von uns länger die Luft anhalten konnte, bis wir beide blau im Gesicht waren. Wenn wir nicht gerade etwas sehr Gefährliches unternahmen, zerlegte Nils alles, was ihm in die Finger kam. Nach der Erfahrung mit meinem Puppenkarussell versuchte ich stets, ihn von meinem Spielzeug ab- und auf verschiedene Haushaltsgeräte hinzulenken. Ich durfte den Schraubenzieher und die Schrauben halten, wenn Nils den Mixer meiner Mutter zerlegte. Beim Radioapparat traf ihn sogar einmal ein Stromschlag. Später hat Nils Betriebswissenschaft studiert und noch später hat er sehr erfolgreich als Prokurist in einer holländischen Firma, die mit Blumen handelte, gearbeitet.

Wahrscheinlich hatten meine Eltern auch Angst vor dem Darmverschluss. Jedenfalls kümmerten sie sich ständig um ihre Verdauung. Mein Vater bereitete jeden Abend Joghurt mit Leinsamen und Weizenkleie vor, das meine Eltern dann zum Frühstück aßen. Manchmal verschwand mein Vater mit einem seltsamen Gerät im Schlafzimmer, wo meine Mutter schon auf ihn wartete. Das Gerät war in der Wandverbauung im Kabinett ganz oben untergebracht. Mein Vater stieg auf die Leiter und holte es herunter. Es bestand aus einem Glasbehälter, in den ein langer, brauner Gummischlauch mit rohrförmigem Ende führte. In der Mitte des Schlauchs war eine Pumpe angebracht. Da ich ursprünglich keine Ahnung gehabt hatte, wozu es diente, fragte ich meinen Vater danach. Die Antwort war so schockierend, dass ich mich schon kurz darauf nicht mehr an sie erinnerte. Sicherlich aber beruhte auf ihr die schreckliche Vorstellung, dass mein Vater meiner Mutter den Schlauch in den Hintern steckte und Flüssigkeit aus dem Glasbehälter, den er in der hoch ausgestreckten Hand hielt, in sie hineinpumpte. Was bewirkte, dass meine Mutter dringend aufs Klo musste, sodass die Flüssigkeit, vermischt mit ihren Ausscheidungen, wieder in den Behälter, den er nun unter dem Bett stehen hatte, zurücklief. Wenn mein Vater mit dem Gerät im Schlafzimmer verschwand, in dem meine Mutter bereits auf ihn wartete, stellte ich mir in meinem Zimmer auf der Couch liegend vor, wie der Glasbehälter sich mit einer braunen, zähflüssigen Masse füllte. Manchmal stellte ich mir vor, der Behälter liefe über und mein Vater und meine Mutter würden über und über mit kleinen braunen Spritzern bekleckert. Manchmal holte ich, wenn meine Mutter einkaufen war, das Gerät aus der obersten Lade der Wandverbauung und verpasste meinen Puppen einen Einlauf. Zuerst zog ich sie vollständig aus, dann mussten sie sich der Reihe nach vor mir hinknien und ich steckte ihnen den Schlauch in den Hintern beziehungsweise presste ihn zwischen ihre Beine. Wenn dann die braune, übelriechende Flüssigkeit in dem Behälter überlief, mussten sie in der Stellung verharren, bis ich sie wie ein Baby gereinigt und schließlich eingepudert hatte. Manchmal, wenn sie so viel gekackt hatten, dass alles auch auf mich spritzte, geriet ich außer mir vor Wut und schlug sie so lange auf den Hintern, bis sie wimmernd versprachen, nie mehr so viel zu scheißen.

Im Grunde galt in meiner Kindheit alles, was nicht in

der Familie blieb, als peinlich. Schluckauf in der Öffentlichkeit, Hochziehen der Nase, weil das Taschentuch vergessen wurde, falsche Farbkombination von Rock und Bluse, Laufmaschen in den Strümpfen und so weiter. Besonders peinlich waren für alle sichtbare Behinderungen, Stottern, Hinken, Vergesslichkeit, Demenz, ein Buckel. Oder jede Art von sexuellen Handlungen. Oder alle Ausscheidungen. Jede einzelne dieser Peinlichkeiten war aber nicht peinlich, wenn es niemand sah. Meine Mutter kratzte sich daheim die Beine blutig, weil sie so juckten. Nach dem Essen nahm sie ihre Prothese aus dem Mund und reinigte sie noch am Esstisch, indem sie sie hinter vorgehaltener Hand abschleckte. Mein Vater führte auch im Winter nackt vor dem offenen Schlafzimmerfenster seine Liegestütze aus, weil das Fenster dort uneinsichtig war.

Wenn ich heute überlege, was mir alles peinlich ist, fallen mir auch viele Dinge ein. Zum Beispiel, wenn ich von einem Nachbarn oder von dem Briefträger oder einem Installateur mitten in der Arbeit überrascht werde. Ich habe ja schon angedeutet, dass ich am liebsten vom Bett an den Schreibtisch wechsle. Ungekämmt, ungeschminkt und mit Trainingshose und brauner Fleece-Jacke. Ich weiß selbst, dass ich dabei verwahrlost ausschaue. Das ist ja gerade der Grund, warum ich so am besten arbeiten kann. Ich erfülle keine gesellschaftliche Norm. Und genau das ist aber dann wieder andrerseits das Problem in der Kommunikation. Ich will meinen Zustand zwar mir selbst zumuten, aber keinesfalls anderen. Ich finde es ausgesprochen unhöflich, Fremden oder Halbfremden so zu begegnen. Einmal ganz abgesehen von meiner Eitelkeit. Unsere Nachbarin ist jederzeit wie aus dem Ei gepellt, obwohl sie über achtzig Jahre alt ist. Ich bewundere das. Sie hat in jeder Hinsicht Geschmack. Und eine positive Ausstrahlung. Beides, Geschmack und positives Denken haben aber beim Schreiben nichts zu suchen. Im Gegenteil! Die besten Schriftsteller haben Furchen im Gesicht, dunkle Augenringe und schmutzige Fingernägel. Wenn nicht gar Zeichen von übermäßigem Alkohol- oder Drogenkonsum und Selbstverletzungen. Gute Schriftsteller humpeln oder spucken beim Sprechen. Die Verwahrlosung, die beim Schreiben notwendig, wenn nicht sogar unvermeidbar erscheint, behindert aber die Kommunikation. Ich kann kein offenes Haus führen und gleichzeitig schreiben. Noch dazu in einem Alter, wo ungeschminktes Äußeres und nachlässige Kleidung bei jedermann Assoziationen von Greisentum, muffigen Körperausdünstungen und Altersdepression hervorrufen.

Als Kind war es mir peinlich, auf der Straße jemanden zu grüßen. Es kam vor, dass der- oder diejenige, den oder die ich gerade grüßte, mich nicht hörte. Es gibt nichts Peinlicheres, als zweimal oder gar dreimal grüßen zu müssen, weil der- oder diejenige einen nicht gehört oder nicht gesehen hat. Da schaut Frau Smolka beispielsweise gerade in eine andere Richtung oder auf ihren Einkaufszettel und hat mich nicht gesehen. Wer aber einmal gegrüßt hat, muss weitergrüßen, ob der-

oder diejenige nun gesehen wird oder nicht. Alles andere wäre extrem feige. Naturgemäß muss man beim zweiten oder dritten Grüßen die Stimme erheben, sonst wird man ja wieder überhört oder übersehen. Erhebt man aber die Stimme, kann es sein, dass man wiederum als äußerst unhöflich empfunden wird. Als wollte man die oder den zu Grüßende(n) erschrecken oder gar anschreien. Noch viel schlimmer ist es aber, wenn man zu jemandem geschickt wird. Zum Beispiel, um ein Paket abzugeben, das versehentlich an die falsche Adresse geliefert wurde. Oft ist es ja so, dass der Betroffene gerade keinen Besuch erwartet, auf dem Klo sitzt oder mittags noch sein Nachthemd anhat oder dass die Wohnung noch nicht aufgeräumt oder gelüftet ist. Furchtbar! Ich meine, an und für sich nicht für den- oder diejenigen, der oder die ein Paket abgeben will, sondern für den Empfänger oder die Empfängerin des Pakets. Meistens die Empfängerin, weil die Männer tagsüber bei der Arbeit sind. Wenn jetzt die Empfängerin eines Pakets am Nachmittag um zwei Uhr die Tür öffnet und noch im Nachthemd ist und hinter ihr ein ungeheures Durcheinander sichtbar wird und es außerdem stinkt, dann ist es nicht nur der Empfängerin des Pakets peinlich, sondern auch dem Überbringer oder der Überbringerin, weil der oder die in die sogenannte Privatsphäre, die ja nichts als eine Chimäre ist, aber von den Erwachsenen so gehütet wird, als ginge es um Leben und Tod, eingedrungen ist. So etwas wirkt meist das ganze Leben lang nach.

Frau Rosenfeldt hatte einen schwarzen Seidenmorgenmantel mit großen Mohnblumen darauf an. Hinter ihr war ein ungeheures Durcheinander sichtbar und es stank. Ich wäre mitsamt dem Paket im Arm am liebsten im Boden versunken. Sicherlich wurde ich knallrot im Gesicht. Frau Rosenfeldt nicht. Sie lächelte und bat mich in die Wohnung. Das war zu der Zeit nicht üblich. Erwachsene luden keine Kinder in die Wohnung ein. Mir stand der kalte Schweiß im Gesicht, als ich mich auf das abgewetzte rote Samtsofa im Wohnzimmer setzte, auf das sie wies, nachdem sie mit dem Handrücken ein paar Kleidungsstücke auf den Boden gefegt hatte. Den Kaffee, den sie mir anbot, nahm ich höflichkeitshalber an. Ich hatte bis dahin noch nie Kaffee getrunken und fand schon den Kaffeegeruch widerlich. Ich erfuhr, mit Frau Rosenfeldt auf dem Sofa liegend – sowohl die Sitzfläche als auch die Rückenlehne gaben so stark nach, dass man unmöglich aufrecht auf dem Sofa sitzen konnte –, dass Kaffee noch widerlicher schmeckt, als er riecht. Es würgte mich regelrecht. Frau Rosenfeldt zündete sich eine Zigarette an. Auf dem niedrigen Tischchen vor der durchgesessenen Couch lagen mehrere Zeitschriften. Frau Rosenfeldt stellte das Paket, das ich ihr überreicht hatte, auf den Boden neben das niedrige Tischchen. Dann fragte sie mich unvermittelt, ob ich Theos Freundin sei. Ich wurde mit Sicherheit noch einmal knallrot im Gesicht und schüttelte so heftig den Kopf, dass sowohl die Wohnung als auch Frau Rosenfeldt in meinen Augen hin- und herzitterten. Frau Rosenfeldt missverstand möglicherweise meine heftige Abwehrgeste als verdecktes Eingeständnis aus schlechtem Gewissen. Sie zog heftig an ihrer Zigarette. »Du kannst es mir ruhig sagen«, sagte sie, wobei sie ihre schwarzen Augen zu zwei Schlitzen zusammenpresste, »ich will dich nur warnen! Finger weg von dem Theo!« Ich war so baff, dass ich gar nichts sagte. Nichts wäre mir ferner gelegen, als dem Theo zu nahe zu treten. Im Gegenteil. Ich hielt stets so viel Abstand wie möglich von ihm. »Theodor«, sagte Frau Rosenfeldt, »hat Epilepsie und darf sich nicht aufregen. Wenn du ihn reizt, bekommt er einen Anfall.« Was wollte diese Frau von mir? Es wäre mir nie eingefallen, Theo aus irgendeinem Grund zu reizen. Ich war froh, wenn er nicht im Hof war, während wir spielten. Er regte sich immer so auf! Was war überhaupt Epilepsie? Die Frau redete weiter, sie sagte irgendetwas von Zuckungen, unwillkürlichem Harnabgang, Speichelfluss und Bewusstseinstrübungen. Und dass Theo ihr erzählt habe, dass ich ihm immer in die Augen starrte, bis er nur mehr Blitze sehe. Ich wollte das alles nicht hören. Am liebsten hätte ich mir die Ohren zugehalten. Es musste sich bei der Frau Rosenfeldt um eine Verrückte handeln. Ich lag mit einer Verrückten auf einer roten Samtcouch. Wer weiß, was sie Theo und mir noch alles unterstellte oder ob sie am Ende aggressiv würde, weil ich angeblich ihrem Theo in die Augen starrte, bis er Blitze sah. Ich musste aus der Wohnung raus. Sofort. Höflichkeit hin oder her. Während die Rosenfeldt noch redete – ich hörte nicht mehr zu –, sprang ich auf und rannte zur Wohnungstür, riss sie auf, rannte die Stiegen hinunter, stieß mit der Frau Smolka zusammen, die unten im Gang stand, rannte hinter dem Haus auf den Gehweg, der die Muldenstraße mit der Eisenwerkstraße verband und der von Büschen gesäumt und daher von der Vöestsiedlung aus uneinsichtig war, und versteckte mich schließlich ungefähr auf der Höhe unserer Wohnung hinter einem dichten Haselnussstrauch. Meine Beine und Hände zitterten, mir war schlecht und schließlich übergab ich mich hinter dem Haselnussstrauch.

Heute frage ich mich, was mich damals so verstört haben mochte, dass ich gleich kotzte. Sicherlich, ich hatte widerlichen Kaffee getrunken. Außerdem hatte ich bereits wilde Gerüchte über die Familie Rosenfeldt gehört. Ich hatte Angst vor der schwarz gekleideten Frau. Aber gleich kotzen? Es muss das Wort Epilepsie gewesen sein, das mich erschreckt hatte. Zuckungen, Harnabgang, Speichelfluss, Bewusstseinsstörungen. Aber ich hatte Theo doch oft genug gesehen, wie er sich auf dem Boden wälzte und Schaum vor dem Mund hatte. Nein, es war eindeutig nicht die Tatsache an sich, sondern das Wort. E-pi-lep-sie. Schrecklich! Was vorher interessant gewesen war – ein Theo, der vor Wut umfiel und mit Armen und Beinen um sich schlug –, hatte jetzt einen Namen. Epilepsie! Das wollte ich nicht wahrhaben. Aber warum nicht? Vielleicht hatte ich an jenem Nachmittag 1959 zum ersten Mal etwas über die Macht des Wortes verstanden. Dass ein Wort alles verändern kann. In einen bestimmten Zusammenhang rücken, das Ereignis selbst einengen, ihm einen Beigeschmack geben kann. Ich würde nie mehr unbefangen Theos Wut beobachten können. Sie wurde durch das Wort Epilepsie zugleich zu einem allgemeinen Zustand wie zu einem äußerst intimen. Am Anfang war das Wort und das Wort ist von Anfang an mit Schuld verbunden. Ich hatte Theo angestarrt und war schuld an den Blitzen in seinem Kopf. Dabei kannte ich das mit den Blitzen selber sehr gut. Und zwar, ohne dass mich jemand anstarrte. Ich musste nur den Kopf in den Nacken legen und ein Glas kaltes Wasser auf einen Zug austrinken, dann zuckte mein Gehirn und ich sah Blitze. Zehn Jahre später habe ich während einer Grippe die Hustentabletten, die mir verschrieben wurden, jeden Tag, statt sie zu schlucken, unter der Matratze gesammelt und, nachdem ich genug zusammen hatte, alle auf einmal geschluckt. Auch damals überall Blitze. Im Gesicht meiner Mutter, auf der Türklinke, auf dem Boden und auf der Zimmerdecke. Nach einer gewissen Zeit sah ich nicht nur Blitze um die Personen und Gegenstände herum, sondern die Personen und Gegenstände selbst bestanden aus Blitzen. Sensationell! Schwierig war nur, vom Bett zur Toilette zu gehen oder einen Gegenstand anzufassen, weil die vielen Blitze ja keine festen Konturen bildeten. Es war wie Durch-Tiefschnee-Gehen oder Blinde-Kuh-Spielen. Ein schönes Gefühl, das nur noch – wieder viel später in der Wohngemeinschaft während meines Studiums – übertroffen wurde durch LSD, bei dem es aber nicht um Blitze, sondern um Farben und Veränderungen (Metamorphosen) ging.

Im Laufe der Zeit begannen sich die Worte zu häufen: Behinderung, Darmverschluss, Epilepsie, Menstruation, Koitus interruptus, Knaus-Ogino-Methode. Damit wuchs die Schuld. Manchmal fühlte ich mich schon schuldig, wenn ich die Zähne nicht gründlich genug geputzt oder meine Eltern belogen oder jemandem in die Augen geschaut hatte. Alles würde sich rächen. Spätestens nach meinem Tod. Ich hatte furchtbare Angst vor dem Fegefeuer. Das Fegefeuer war schlimmer als die Sauna. Die armen Seelen brieten ja direkt über einem offenen Feuer, bis sie ganz rot waren oder sich schälten oder vielleicht ankohlten. Die ganze Vorhölle war erfüllt von ihren Schreien. Aber immerhin, im Fegefeuer gab es noch eine Chance zu entkommen. Die Hölle war für ewig. Ich begann, im Bett vor dem Einschlafen Rosenkränze zu beten, um arme Seelen aus dem Fegefeuer zu retten. Oft betete ich bis in die frühen Morgenstunden. Ich bin überzeugt, dass die Einschlafschwierigkeiten, die mich bis heute verfolgen, mit den vielen Rosenkränzen in meiner Kindheit zu tun haben. Wenn ich im Bett liege, überfällt mich augenblicklich die Schuld. Nicht genug gearbeitet, zu viel geraucht, zu viel gegessen, zu wenig Bewegung in frischer Luft, Freundschaften vernachlässigt, Kind und Mann ebenfalls, keine Rückenübungen gemacht, Plastik in den Restmüll geworfen, Frankfurter Würstel gegessen, danach Toffifee, Blumen nicht gegossen, Mails nicht beantwortet, keine Flüchtlinge in die Wohnung aufgenommen und so weiter und so fort.

Seit drei Wochen ist das Schuldwort »Corona«. Wer sich mit einer ganz normalen Grippe ansteckt, ist fein heraus. Gegen Grippeinfektion ist der Mensch machtlos. Steckt er sich mit dem Corona-Virus an, ist er entweder leichtsinnig vor die Tür gegangen oder ist ohne jede Notwendigkeit in den Supermarkt marschiert um irgendeine Delikatesse zu kaufen, wo es doch die Winterkartoffeln im Keller auch getan hätten, oder er hat abwegige Vorerkrankungen wie Diabetes oder noch abwegigere chronische Erkrankungen der Atemwege oder – aber das ist wirklich das Letzte – er ist oder war Raucher. Da darf sich niemand wundern, wenn so einer oder so eine verreckt!

In meiner Kindheit versuchte ich eine Zeitlang, mich in der Sonntagsmesse von allem reinzuwaschen. Schon der Weg zur Kirche war ein Bußgang. Allein deshalb, weil er sich weitgehend mit meinem Weg in die Schule deckte. Und wer will schon am Sonntag den Schulweg nehmen? Dazu kamen die Sonntags-Lackschuhe, von denen ich Blasen an den Füßen bekam. Außerdem hatte ich immer Angst, dass mich jemand aus dem Hinterhof sah. Die Kinder aus dem Hinterhof besuchten ausnahmslos nicht die Sonntagsmesse. Was einerseits meine Buße erhöhte. Die anderen lagen zu Hause im Bett oder spielten im Hof, während ich mit zu engen Lackschuhen hinter meinen Eltern her zum Gottesdienst trottete. Andrerseits wieder war sonntags im Hof meist ohnehin nicht viel los, weil die meisten Kinder mit ihren Eltern Ausflüge machen mussten. Das minderte wieder meine persönliche Buße. Eine nicht unerhebliche Hürde waren die vielen Bekannten, die meine Eltern, vor allem aber meine Mutter, auf dem Weg zur Kirche und vor der Kirche begrüßten. Ich wusste, dass ich dabei gemustert wurde. Wenn irgendetwas an der Kleidung, der Körperhaltung oder gar mit dem Gruß nicht stimmte, wurde ich von meiner Mutter tagelang ermahnt, mich ordentlich zu kleiden, gerade dazustehen und beim Grüßen nicht auf den Boden zu starren. Zählte alles zur Buße. Und es wurde ja dann nicht leichter. In der Kirche war es meistens kalt, die Bänke waren unbequem und das dauernde Aufstehen, wieder setzen, knien, wieder aufstehen kam noch dazu. Leider war unsere Kirche am Spallerhof eine moderne Kirche. Mir hätte eine alte Kirche mit sehr hohen Räumen und alten Glasfenstern besser gefallen, weil sie irgendwie würdiger gewesen wäre als so ein Betonbau. Aber egal. Der Inhalt zählt. Leider verstand ich den nicht, die Messen wurden damals in Latein gehalten. Trotzdem! Schon die Eröffnung war seltsam. Zuerst küsste der Priester den Altar, was ich ein wenig übertrieben fand, auch ein bisschen grauslich, weil ich nicht sicher war, ob das weiße Altartuch oft genug gewaschen wurde, es hatte eindeutig einen Stich ins Gelbliche. Wie übrigens auch das Gesicht des Pfarrers selbst. Dazu kam die spitze Hakennase. Ich meine, eine dicke

Hakennase strahlt etwas Vitales, manchmal fast Brutales aus, eine spitze Hakennase hat immer etwas Krankes. Aber ich wollte ja büßen. Dazu musste ich meine Aufmerksamkeit von unserem gelblichen Pfarrer mit der spitzen Hakennase weg- und zu etwas Höherem hinlenken. Das Höchste war Jesus selbst. Er hatte durch seinen Tod am Kreuz gebüßt. Wie konnte man überhaupt bei einer solchen Vorlage angemessen büßen? Die Kieselsteine, die ich mir am Knie in die weiße Strumpfhose gesteckt hatte, hatten beim Knien in der Kirche zwar meine Haut aufgeritzt und die Wunde hatte sich entzündet, sodass Sonjas Vater später einzelne Steinchen mit einer spitzen Pinzette aus meinem Knie entfernen und das Knie im Anschluss daran mit Jod bepinseln musste, was höllisch wehtat. Aber das war ja nichts angesichts des Kreuzestodes Jesu. Kinder sind viel sensibler als Erwachsene, was Folterungen betrifft. Ich erinnere mich, dass ich mir immer wieder vorstellen musste, wie es wäre, auf einem windigen Berggipfel an Händen und Füßen an ein Kreuz genagelt zu werden. Über mir ein blauer Himmel, unter mir ein Tal mit Wiesen und Glockenblumen. Die Schwerkraft muss doch das Fleisch aufreißen, und wie lange dauert es überhaupt, bis ein Mensch, an ein Kreuz genagelt, stirbt? Manchmal wurde mir richtig schlecht bei der Vorstellung. Und dann kamen ja noch die Märtyrer dazu. Heilige, die, an einen Pfahl gebunden, mit Pfeilen gespickt wurden, auf ein Rad gebunden, das dann gerollt wurde, bis alle Knochen brachen und das Fleisch zerquetscht wurde, und die trotzdem ihren Glauben nicht widerriefen und damit für alle Ungläubigen auf der Welt büßten. Ich versuchte mir vorzustellen, ob es mir möglich wäre, unter solchen Umständen zum Wort Gottes, was immer das jetzt auch genau für ein Wort sein mochte, zu stehen. Ich stellte mir die Missionare in Afrika vor. Tatsächlich hatte ich schon öfter nachts im Bett, zwischen den Rosenkränzen für die armen Seelen im Fegefeuer, daran gedacht, später selbst einmal in die Mission nach Afrika zu gehen, um dort die Heidenkinder zu bekehren. Immerhin würde ich in einer echten Strohhütte leben, unter Affenbrotbäumen sitzen, Giraffen, Krokodilen und Löwen begegnen, vielleicht sogar einen Gorilla aufziehen oder ein verletztes Elefantenbaby gesund pflegen. Aber was, wenn mich nackte schwarze Eingeborene fingen und in den berühmten Suppentopf steckten? Wäre ich imstande, zum Wort Gottes zu stehen und obendrein vielleicht sogar den ungläubigen Kannibalen zu verzeihen, während das Wasser im Kessel über dem Feuer immer heißer wurde? Meine Haut würde zuerst schrumpelig werden wie in einer zu heißen Badewanne, dann würde sie wahrscheinlich aufquellen und sich abzulösen beginnen. Aber unter der Haut war doch das rohe, rote Fleisch? Würde das langsam grau werden wie beim Tafelspitz zu Ostern? Und wäre ich selbst da noch bei Bewusstsein? Würde ich schreien und brüllen oder aufrecht im Kessel stehen und meine Peiniger segnen? Nein, ich war ganz sicher, dass ich die Kraft dazu nicht hätte, selbst wenn ich mir vor Augen hielt, dass Gott mir eine Heerschar Engel schicken würde, die mich trösteten. Zumindest hatte unsere Religionslehrerin das behauptet, als wir sie gefragt hatten, wie denn der Heilige Sebastian seine Folter ertragen hätte. Aber die Religionslehrerin hatte gut reden. Mitten in Europa, ohne Kannibalen. Was nützt eine Heerschar Engel, wenn du gekocht oder gehäutet wirst? Die Sache mit den Märtyrern nahm mich regelmäßig so mit, dass ich während der Sonntagsmessen kurz davor war zu kollabieren. Meine Mutter machte sich deshalb solche Sorgen, dass sie mich sogar zu unserem Hausarzt brachte. Aber kaum hatte ich die Kirche verlassen, ging es mir wieder besser. Ich spürte, wie das Blut in Richtung Kopf zurückpumpte und meine Haut rosig färbte. Der Vater von Sonja konnte weder eine Kreislaufschwäche noch zu niedrigen Blutdruck feststellen. Er äußerte meiner Mutter gegenüber schließlich die Vermutung, dass es sich eventuell um eine hormonelle Sache handelte und dass ich womöglich frühreif sei und kurz vor meiner ersten Menstruation stünde.

Damit war das nächste Schreckenswort geboren: Menstruation. Ich hatte zunächst keine Ahnung, was es bedeutete. Aber es war im Zusammenhang mit dem Wort »frühreif« gefallen. Und frühreif bedeutete nie etwas Gutes. Die Tochter der Rosenfeldts war frühreif, auch eine Cousine väterlicherseits, die mit zehn Jahren schon einen Busen hatte. Das Wort frühreif fiel auch oft im Zusammenhang mit Früchten. »So ein frühreifes

Früchtchen« hatte meine Mutter über Edda gesagt, nachdem diese beim Stehlen von Lippenstift im Kraus & Schober, dem damals noch größten Kaufhaus in Linz, erwischt worden war. Ich musste also nur Edda fragen, was Menstruation bedeutete. Das tat ich auch bei nächstbester Gelegenheit. Die Antwort war niederschmetternd. Wenn Edda sich nicht grundsätzlich irrte, bluteten alle Frauen einmal im Monat. Und zwar untenherum. Genau dort, wo ich immer an den Schamlippen zupfte. Beziehungsweise dazwischen. Das muss man sich einmal vorstellen: Blut, das aus dem Inneren des eigenen Körpers fließt. Das hieß doch, dass dort eine Wunde sein musste, die einmal im Monat aufbrach. Es war erschütternd. Blutete nicht auch das Herz Jesu immer wieder? Ich brachte das Wort Menstruation sofort in Zusammenhang mit den Märtyrern. Waren Frauen von vornherein Märtyrer? Das wäre naturgemäß insofern praktisch gewesen, als ich gar nicht erst in Afrika im Kochtopf büßen hätte müssen, sondern sozusagen als Frau grundsätzlich büßte. Ich beschloss, auf keinen Fall frühreif zu sein und erst möglichst spät zu büßen. Aber irgendwann würde es Edda zufolge so weit sein.

Edda ist heute Trafikantin im Einkaufszentrum Muldenstraße. Das heißt, sie war dort Trafikantin, als ich das letzte Mal im Einkaufszentrum Muldenstraße einkaufen war. Das ist mindestens zehn Jahre her. Schon vor unserem Umzug ins Waldviertel, als ich noch in Linz lebte, bin ich nicht mehr ins Einkaufszentrum

Muldenstraße einkaufen gegangen. Nach meiner Rückkehr nach Österreich – das ist jetzt auch schon wieder fast zwanzig Jahre her – habe ich mich in einem anderen Stadtteil von Linz angesiedelt. Im Grunde genommen hätte ich das Einkaufszentrum Muldenstraße von meiner Wohnung in einer Viertelstunde zu Fuß erreichen können, aber ich hatte keine Lust dazu. Das erst Ende der sechziger Jahre errichtete Einkaufszentrum war am Ende der neunziger Jahre bereits ziemlich verlottert. Der Putz fiel von den Wänden, die Hälfte der Geschäftsflächen standen leer, den Italiener, zu dem ich meine Mutter manchmal eingeladen hatte, als ich schon längst im Ausland lebte und nur mehr besuchsweise in Linz war, gab es auch nicht mehr. Irgendwann war man auf die Idee verfallen, das ganze Einkaufszentrum zu überdachen, sodass die Luft dort stickig war. Im Sommer war es unerträglich heiß. Als ich das erste und letzte Mal nach meiner Rückkehr nach Linz im Einkaufszentrum Muldenstraße Zigaretten kaufen wollte, stand Edda hinter dem Tresen der Tabaktrafik. Ich hätte sie gar nicht erkannt. Edda war in meiner Kindheit schlank gewesen und hatte kräftige braune Locken gehabt, ein regelmäßiges Gesicht mit gerader Nase und großen braunen Augen. Die Trafikantin hatte schüttere orangefarbene Haare mit einer lila Locke in der Stirn und war sehr dick. Sie trug Jogginghosen und ein eng anliegendes, ebenfalls lila T-Shirt, wodurch ihr riesiger Busen und die Wülste am Bauch sichtbar waren. Ich erschrak furchtbar, als sie mich mit meinem Vornamen ansprach. Erst nachdem ich eine Weile in ihre braunen Augen geschaut hatte, die in dem fleischigen Gesicht zu zwei kleinen Knöpfen geschrumpft waren, erkannte ich sie wieder. Zusätzliche Sicherheit gab mir ein Blick auf ihren lächelnden Mund. Der Abstand zwischen den beiden Vorderzähnen, der früher frech ausgeschaut hatte, wirkte jetzt einfältig. Edda redete ununterbrochen. Sie erzählte mir, dass sie inzwischen geschieden sei (ich wusste gar nicht, dass sie verheiratet gewesen war) und mit ihren drei erwachsenen Kindern noch immer in der Wankmüllerhofstraße wohnte. Markus, sagte sie, sei als Ingenieur jahrelang für die Vöest in China gewesen. Seit ein paar Jahren lebe er mit seiner Frau und seiner Tochter wieder in Linz, in der Wohnung seiner Eltern, die aufs Land gezogen seien. Die Frau von Markus sei Lehrerin und dementsprechend zickig. Sie hätten kaum Kontakt mehr, seit sie in Pension gegangen seien. Aus der hinteren Ecke der Trafik bellte ein fetter Köter, der auf einer roten Hundedecke lag.

Solange ich mich erinnern kann, habe ich mir ein Haustier gewünscht. Am liebsten einen Hund oder eine Katze. Besonders auf meinen Vater, der außer Hunde und Katzen sogar Hummeln streichelte – mein Vater behauptete, dass es kein anderes Tier gäbe, das so ein herrlich weiches Fell habe wie die Hummel –, setzte ich große Hoffnung. Meine Mutter war grundsätzlich gegen ein Haustier. Hunde und Katzen machten ihr zu viel Dreck. Die Haare überall, die Katze zerkratzt die

Polstermöbel, und ein Hund muss ständig spazieren gehen. Alles, sagte sie, würde am Ende an ihr hängenbleiben. Und sie habe keine Lust, ständig mit einem pinkelnden Köter an der Leine durch die Stadt zu laufen und ihn dann auch noch zu putzen, weil er sich in Wiesen und Matsch und wer weiß was noch allem wälze. Die Pfoten müssten täglich gesäubert werden, das Fell gebürstet, das Tier gefüttert. Ich beteuerte, dass ich nichts lieber täte, als einen Hund oder eine Katze zu bürsten und zu füttern, aber es half alles nichts. Der gewichtigste Einwand kam dann ausgerechnet von meinem Vater: Wohin mit Hund und Katz im Urlaub? Der Urlaub am Strand in Italien oder auf den Bergen in Osttirol war meinem Vater heilig. Da half kein Bitten und Betteln.

Die Wellensittiche waren dann das äußerste Zugeständnis meiner Eltern an meinen Wunsch nach einem Haustier. Ein Wellensittich ist aber kein Haustier. Einen Wellensittich kann man weder streicheln, noch zeigt er das geringste Verständnis, wenn man mit ihm spricht. Seine winzig kleinen runden Äuglein bleiben immer gleich ausdruckslos. Er ist im besten Fall ein Ziergegenstand, wenn einem so etwas gefällt. Mir gefiel es nicht.

Grün-blau-gelb, so sahen sie alle aus. Mir war es ein Rätsel, wieso meine Mutter damals bei dem Privatzüchter in Passau, wo wir die Wellensittiche kauften, weil sie dort angeblich alle sprechen lernten, so lange grübelte, welchen Wellensittich genau wir jetzt kaufen sollten. Es stank fürchterlich in dem Raum, in dem die Wellensittiche untergebracht waren. Sie saßen auf langen Stangen, kackten einfach unter sich und brabbelten durcheinander. Manche brabbelten Hansi, die meisten Burli. Ab und zu schrie einer mit schriller, markerschütternder Stimme. Im Grunde war das Haustier, das mir zugesprochen worden war, für meine Mutter bestimmt. Was auch gut war, ich hätte mich niemals mit einem Wellensittich angefreundet. Dann schon lieber mit einem Fisch. Ein Wellensittich ist vollkommen charakterlos.

Wir waren einmal in einer Papageienausstellung in Linz gewesen. Meine Mutter war ganz nahe an die Käfige herangetreten und hatte gelacht, weil einer der Papageien den Kopf schief gelegt und meine Mutter fixiert hatte. Der Papagei hatte das Lachen meiner Mutter exakt nachgemacht. Hoch und schrill. Meine Mutter hatte daraufhin noch mehr gelacht und der Papagei auch. Es war schrecklich. Meine Mutter und der Papagei lachten immer schriller und höher, alle anderen Besucher der Ausstellung sahen zu uns her, ich wäre am liebsten in Grund und Boden versunken. Meine Mutter war aber seither überzeugt, eine besondere Beziehung zu Papageienvögeln zu haben. Ein richtiger Papagei kam nicht in Frage, weil er zu groß für unsere Wohnung war und zu teuer und weil er zu viel Dreck machte.

Die Rückfahrt von Passau nach Linz war ein Horror. Meine Mutter hatte auf Anraten des Wellensittichzüchters zwei Wellensittiche gekauft, weil einer allein sich angeblich langweilte. Die Wellensittiche saßen in dem

Käfig, den meine Mutter auch bei dem Züchter gekauft hatte, neben mir auf dem Rücksitz des Autos. Über dem Käfig war ein Tuch gebreitet, damit sie sich während der Fahrt nicht zu sehr aufregten. Sie regten sich aber trotzdem auf, flatterten in dem zugedeckten Käfig herum, kackten und schrien. Ihre Flaumfedern schwebten durchs Auto. Ich hatte von Anfang an den Eindruck, dass die beiden Wellensittiche sich nicht mochten, was sich später auch bestätigen sollte. Auf dem Weg vom Auto zu unserer Wohnung in Linz ließ meine Mutter einmal sogar den Käfig fallen, weil die Vögel so tobten. Nachdem ich mich geweigert hatte, die beiden schreienden Wellensittiche in meinem Zimmer aufzunehmen, bekamen sie einen Platz in unserem Wohnzimmer. Direkt neben dem Fernseher. Mein Vater hatte eine lange Stange mit Haken gekauft, an den der Vogelkäfig gehängt wurde. Meine Mutter nannte den einen Burli, den anderen Hansi. Wenn die Vögel sich aufregten, was eigentlich ständig der Fall war, schwankte der Vogelkäfig hin und her, die Hülsen des körnigen Vogelfutters fielen auf den Boden und Flaumfedern segelten durch die Luft. Von wegen, kein Dreck! Das hatte meine Mutter jetzt davon. Die Vögel stritten auch dauernd. Manchmal hackte Burli auf Hansi ein, dann wieder umgekehrt. Beide hatten bald am Hals kahle Stellen. Mit der Zeit wurden die Tiere etwas ruhiger, besonders wenn meine Mutter ihnen abends vor dem Fernsehen das Tuch über den Käfig legte. Meistens waren sie dann für eine Weile mucksmäuschenstill. Tagsüber versuchte meine Mutter, ihnen Sprechen beizubringen. Sie trat ganz nahe an den Käfig heran, der in ihrer Kopfhöhe hing, steckte die Nase durchs Gitter und sagte: Bussi, Bussi, Burli, Burli oder Bussi, Bussi, Hansi, Hansi. Je nachdem. Aber in all der Zeit, in der wir die Wellensittiche hatten, hat nie einer von beiden auch nur ein Wort gesagt oder gar meine Mutter auf die Nase geküsst. Manchmal durften sie frei fliegen. Zuerst wurde überprüft, ob auch wirklich alle Fenster geschlossen waren, dann öffnete meine Mutter das Käfigtürchen. Die beiden Wellensittiche flogen augenblicklich aus dem Käfig und auf die Gardinenstange im Wohnzimmer. Dort oben blieben sie sitzen und kackten hinunter. Meine Mutter putzte inzwischen den Käfig, streute Sand, gab frisches Wasser in ihre Tröge, hängte Kolbenhirse auf, an der sie dann lustlos knabberten.

Das Einfangen der frei auf der Gardinenstange im Wohnzimmer sitzenden Wellensittiche war naturgemäß schwierig. Der Käfig musste abgenommen werden, das Käfigtürchen weit offen stehen. Dann stieg meine Mutter mitsamt dem Käfig auf einen Stuhl und hielt den Wellensittichen den Käfig mit der weit geöffneten Eingangstür entgegen. Die Wellensittiche trippelten in Affengeschwindigkeit zur anderen Seite der Gardinenstange. Meine Mutter stieg vom Sessel hinunter, verrückte ihn, stieg wieder hinauf und hielt ihnen den Käfig entgegen, woraufhin die Wellensittiche wieder zur anderen Seite der Gardinenstange trippelten. Unter heftigem Gekacke selbstverständlich. Meiner Erinnerung nach ist es meiner Mutter kein einziges Mal gelungen, die Wellensittiche wieder einzufangen. Sie musste warten, bis mein Vater von der Arbeit heimkam, mit dem Käfig auf den Sessel stieg und pfiff. Dann hüpften sie sofort in den Käfig.

Eines Tages lag einer der beiden Wellensittiche tot auf dem Käfigboden. Wir haben nie erfahren, woran er eigentlich gestorben ist. Meiner Ansicht nach hat er entweder einen Herzinfarkt erlitten, weil er sich immer so aufgeregt hat, oder der eine Wellensittich hat den anderen im Streit umgebracht. Jedenfalls kaufte meine Mutter nach dem Ableben des einen Wellensittichs einen Spiegel, den sie im Käfig aufhängte. Der andere Wellensittich war sichtlich zufrieden. Er zwitscherte sein Spiegelbild an und kam endlich ein wenig zur Ruhe. An seinen Tod erinnere ich mich nicht.

Im Urlaub fuhren wir jeweils abwechselnd nach Matrei in Osttirol oder nach Gabicce Mare in Italien. Das Schönste am Urlaub war für mich das Heimkommen. Drei Wochen am Meer oder in den Bergen genügten, um mich auf meine Puppen, mein Kinderzimmer und die anderen Kinder im Hof zu freuen. Jetzt, wo ich nicht mehr so viel wegfahre, weil es dort, wo ich lebe, so schön ist, vermisse ich das Heimkommen. Nach einem Urlaub das eigene Zimmer wiederzusehen ist, wie eine Landschaft nach einem heftigen Regen wiederzusehen, wenn gerade die Sonne hervorkommt. Alles ist so frisch. Mit dem Alter wird es ohnehin immer schwieriger, sich einen frischen Blick auf die Welt zu erhalten. Es passiert immer weniger Unvorhergesehenes. Man kennt sich und die Welt mit der Zeit zu gut. Und wenn endlich doch etwas Unvorhergesehenes passiert, ist es meistens nichts Gutes. Irgendjemand erkrankt oder stirbt oder sagt zumindest sein Kommen ab. Im schlechtesten Fall erkrankt oder stirbt man selbst. Obwohl: Ich denke oft, dass Letzteres nicht das Schlechteste wäre. Einfach umfallen, wenn es so weit ist. Ich möchte mir gar nicht vorstellen, wie es wäre, wenn Bruno vor mir stirbt. Ich weiß ja nicht einmal, wie man die Heizung im Heizungskeller an- oder abschaltet. Oder die Wasserzufuhr für den Swimmingpool. Oder den Wasserschlauch zur Bewässerung der Tomaten. Auch die Oleanderbüsche könnte ich allein nicht aus der Werkstatt in den Garten schaffen. Und niemals könnte ich im Winter die Zufahrt zu unserem Haus vom Schnee freischaufeln.

Wenn der erste Schnee fiel, baute mein Vater sein selbst gezimmertes Vogelhaus, das während des übrigen Jahres im Keller lagerte, auf unserem Balkon auf, der zur stark befahrenen Muldenstraße hin lag und damit zu nichts anderem zu gebrauchen war. Es war ein ziemlich geräumiges Vogelhaus aus dunklem Holz mit zwei Löchern als Fenster und einem als Eingangstür. Das Dach war dunkelgrün. Rund um das Vogelhaus hatte mein Vater eine Vogelhausterrasse mit Balustrade gezimmert. Die Balustrade war geschnitzt. Mein Vater streute im Inneren des Hauses sowie auf der Terrasse Körner. Vom Dach baumelten pralle runde Säckchen mit gelben Knödeln darin. Sämtliche Vögel flogen im Winter blitzschnell von den kahlen Birken, die den Weg zur Muldenstraße säumten, auf unser Balkongeländer. Von dort auf die Terrasse des Vogelhauses. Manche flogen auch durch die Fenster in das Haus hinein. Manchmal flog ein Vogel durch das linke Fenster und gleichzeitig flog ein zweiter Vogel durch das rechte Fenster. Andere peilten direkt die prallen Knödelsäckchen an, an die sie sich klammerten und wild hineinpickten. Wieder andere saßen auf dem Dach des Vogelhauses und zwitscherten. Unsere beiden Wellensittiche hassten die Wildvögel. Während sie sonst aufgeplustert auf ihren Stangen saßen, flatterten sie hysterisch in ihrem Käfig herum, wenn die Vögel draußen hin und her flogen. Sie waren dann ganz dünn. Mein Vater saß im Winter gerne auf einem Fauteuil in der Nähe der Balkontür und beobachtete die Vögel draußen. »Schau«, sagte er dann zu mir, »ein Meiserl« oder er sagte: »ein Buchfink!« Am liebsten mochte er die Rotkehlchen. Wenn ein Spatz sich zwischen andere, größere Vögel drängte, lachte mein Vater: »So ein frecher Spatz«, sagte er dann. Nur bei Tauben verstand mein Vater keinen Spaß. Wenn eine Taube auf dem Dach seines Vogelhauses oder gar auf der Vogelhausterrasse landete, klatschte mein Vater in die Hände, klopfte gegen die Balkontür, und wenn alles nichts half, riss er die Tür auf und stürmte auf den Balkon, um sie zu verjagen. Meine Mutter rief dann von der Küche aus, er solle sofort die Balkontür schließen, es wehe eiskalt in die Wohnung hinein und die Wellensittiche würden sich noch erkälten. »Ekelhaft, diese Tauben«, sagte mein Vater, wenn er mit einer Schneewehe zusammen wieder in die Wohnung trat, »sie fressen den Vogerln das Futter weg.« Offenbar waren Tauben für meinen Vater keine Vögel. Nur Vielfraße, Schmarotzer, Krankheitsträger! Ich war ganz seiner Meinung.

Fünfzig Jahre später hat auch Bruno in Linz einen unerbittlichen Kampf gegen die Tauben geführt. Auf unserem Balkon hatten sich die Tauben regelrecht eingenistet. Bruno hat alles versucht, sie loszuwerden. Aber als er eines Tages zwei Taubeneier in den Wanderschuhen, die auf dem Balkon auslüfteten, fand, ließ er den sogenannten »Taubenblitz« kommen, der unseren ganzen Balkon mit einem feinmaschigen Netz verkleidete, so dass wir schließlich hinter Gittern beobachten konnten, wie die Tauben den Balkon des Nachbarn ansteuerten.

Meine Einstellung zu Tauben hat sich vollkommen geändert, seit wir im Waldviertel wohnen. Das liegt an den Tauben. Hier gibt es keine fetten Straßentauben mit violett-grün schillernden Hälsen wie in Linz. Unsere Tauben im Waldviertel, hauptsächlich Lachtauben, sind schlank, haben Pastellfarben, zarte Ringe um den Hals und sitzen niemals auf dem Boden und in unserem Futterhäuschen. Unsere Tauben sitzen, wie es sich gehört, auf den Bäumen.

Wahrscheinlich zogen die meisten Siedlungsbewohner den Urlaub einem Haustier vor. Niemand außer

Herrn und Frau Bartik hatte einen Hund. Es hatte auch niemand eine Katze. Frau Dunger hatte Kanarienvögel, die waren fast so schlimm wie unsere Wellensittiche. Nur dass sie eine Spur weniger schrill kreischten. Im Sommer stellte die Frau Dunger ihre Kanarienvögel auf den Balkon und manchmal zwitscherten sie dann ganz akzeptabel.

Der Teich im Park zwischen Muldenstraße und Eisenwerkstraße war von jeher unser Lieblingsplatz. Besonders im Sommer. Da wucherten die belaubten Büsche und Bäume so dicht um den Teich herum, dass man ihn vom Weg durch den Park nicht mehr sehen konnte. Nur wer auf den Natursteinen saß, sah ihn. So wurde er im Sommer zu unserem eigenen See, an dem wir ungestört waren. Von den Büschen verdeckt, mit Aussicht auf Seerosenblätter, Frösche, Libellen, Hummeln und ab und zu einer Maus, versuchten wir uns an den großen Fragen der Menschheit.

Wir saßen auf den Natursteinplatten. Sechs Seerosen im Teich blühten, vier weiße und zwei rosarote. Es war drückend heiß. Ab und zu wehte eine Brise, dann bewegten sich die Äste der Trauerweide und kitzelten uns am Hals. Wir sprachen über den Tod. Theo sagte, dass alle Menschen einmal sterben müssten. Ausnahmslos. Aus die Maus, sagte er. Edda sagte, der Tod sei aber nicht das Ende, sondern der Anfang. Aber der Anfang wovon wusste sie auch nicht so genau. Wir stierten vor uns hin. Der Anfang von der Auferstehung, sagte sie nach einer Weile. Alle schwiegen. Wahrscheinlich hing jeder seiner eigenen Vorstellung von der Auferstehung nach. Ich dachte an das Heiligenbild, das ich nach zehn Maiandachten von unserer Religionslehrerin bekommen hatte und in ein Maiandachtsbüchlein kleben durfte. Darauf war Jesus zu sehen, der kerzengerade in den Himmel auffuhr. Er hatte ein weites weißes Kleid an, das sich durch den Auftrieb so bauschte, sodass man ihm eigentlich, direkt unter ihm stehend, auf die Unterwäsche hätte schauen können. Ich hatte mir fest vorgenommen, unbedingt Hosen zu tragen, wenn es einmal so weit sein würde. Ilse, die ein paar Jahre älter war, sagte, das mit der Auferstehung sei nur sinnbildlich gemeint. Die Auferstehung sollte bedeuten, dass der Mensch sich nach seinem Tod über alles erhebe, das ihn im Leben belastet habe. Schmutz, Sünden, Armut und so weiter. Markus beteiligte sich nicht an dem Gespräch. Er schubste mit dem Fuß Kieselsteine an, die dann ins Wasser platschten, sodass die Frösche, die sich irgendwo im Schilf versteckt hatten, das von der Parkgärtnerei im Frühjahr mühsam Halm für Halm angepflanzt worden war, kopfüber ins Wasser sprangen. Wir wären bei der Hitze alle lieber ins Hummelhofbad gegangen. Es war aber für eine Woche geschlossen, weil Bakterien im Duschwasser gefunden worden waren. Alle Duschköpfe wurden ausgetauscht. Danach würden die meisten Kinder aus dem Hof sowieso mit ihren Eltern in Urlaub fahren. Wir fuhren in ein paar Tagen wie jedes Jahr mit Tante Fini ans Meer nach Italien. Ilse, Emma und ihre Eltern fuhren nie ans Meer, weil ihr

Vater, der ja Chemiker war, behauptete, die Meere seien alle total verschmutzt. Die Armen mussten im eiskalten Hallstättersee baden, weil der, wie ihr Vater sagte, der einzig wirklich saubere See Österreichs sei. Edda fuhr in den Ferien immer zu ihrer Großmutter ins Mühlviertel, Basti und seine Eltern flogen weit weg, Basti wusste nie so genau, wohin eigentlich, Markus fuhr mit seinem jüngeren Bruder in ein Jugendsportlager in Saalbach in Hinterglemm, wo Markus diesmal einen Kletterkurs belegen wollte. Theo fuhr mit seiner Schwester und den Eltern in dem bunt bemalten vw-Bus durch die Gegend.

Theo fragte, ob einer von uns schon einmal einen Toten gesehen habe. Niemand antwortete. Ein Frosch kletterte mühsam auf ein Seerosenblatt. Plötzlich sagte Basti, seine Oma sei ganz glatt geworden, nachdem sie gestorben war. Vorher sei sie runzelig gewesen. »Woher willst du denn das wissen, Zwerg?«, fragte Theo. Theo sagte immer Zwerg zu Basti, was Basti jedes Mal so ärgerte, dass er ganz rot im Gesicht wurde. »Weil ich dabei war«, sagte Basti zornig. Theo sagte, Zwerge seien nie beim Sterben dabei. »Ich schon«, sagte Basti, was alle, da bin ich ganz sicher, bezweifelten. Ausgerechnet Basti mit den blonden Locken und dem Kirschmund, der jüngste von uns, wollte als Einziger eine echte Tote gesehen haben. Aber Basti behauptete steif und fest, dass er an dem Nachmittag, an dem seine Oma gestorben sei, ganz allein zu Hause gewesen war. Er sei auf einem Stuhl neben ihrem Bett gesessen und habe sie die ganze Zeit angeschaut. Die Oma habe zuerst nur gestöhnt, dann habe sie zu röcheln begonnen. Auf einmal habe sie nicht einmal mehr geröchelt. Sie sei ganz still dagelegen und habe ein- oder zweimal geschnarcht. Er habe zuerst gedacht, sie wäre endlich eingeschlafen, aber sie sei tot gewesen. »Und woran willst du das erkannt haben«, fragte Edda. »Weil sie ganz glatt geworden ist«, wiederholte Basti. »Zuerst runzelig, dann glatt.« Wir starrten Basti an, dem plötzlich Tränen in die Augen traten. Mir war nicht ganz klar, ob es wegen seiner Oma war oder weil wir ihm nicht geglaubt hatten oder womöglich immer noch nicht glaubten. Der Frosch auf dem Seerosenblatt starrte Basti ebenfalls an. Alle schwiegen wieder. Irgendwie wurde die ganze Situation immer unangenehmer. Edda begann ihre Fingernägel zu putzen, Ilse wippte mit den Füßen auf und ab, sogar Theo sagte nichts mehr. Es war schließlich Markus, der die bedrückende Situation auflöste. Er stand auf, packte Basti und setzte ihn sich auf die Schulter. Mit Basti auf der Schulter lief er ein paarmal im Galopp um den Teich und wieherte. Basti hielt sich an Markus' Hals fest und lachte Tränen. Genauso ist Markus zehn Jahre später mit meiner Freundin Gabi auf den Schultern durch die Eisenwerkstraße gehüpft, bevor er sie in das Dachzimmer, das zu der Wohnung seiner Eltern gehörte und kaum benutzt wurde, mitnahm.

Mich würde interessieren, was aus Basti geworden ist. Aber da hätte ich wahrscheinlich Edda in der Tabaktrafik im Einkaufszentrum Muldenstraße fragen müssen. Sie schien ja alles zu wissen. Aber vielleicht hätte nicht einmal Edda etwas gewusst, weil Basti mit seinen Eltern aus unserer Siedlung auszog, kurz nachdem ich ins Gymnasium gewechselt war. Es ging damals das Gerücht um, er sei mit seiner Familie nach Australien ausgewandert. Ob er heute immer noch lange blonde Locken hat? Wohl kaum. Auch Basti muss ja inzwischen schon dreiundsechzig Jahre alt sein. Unvorstellbar! Was daran liegt, dass Erinnerungen nicht altern. Erinnerungen bleiben jung, so wie ja auch die Helden aus den Büchern stets gleich alt bleiben, egal, ob wir die Bücher zuerst mit zwanzig Jahren und dann später noch einmal mit sechzig Jahren gelesen haben. Würde mir Basti heute gegenüberstehen, würde ich ihn nicht erkennen, so wie ich auch Edda nicht erkannt habe, selbst wenn Basti als Dreiundsechzigjähriger immer noch lange blonde Locken hätte. Ich stelle mir vor, Basti ist wirklich mit seinen Eltern nach Australien ausgewandert. Dort hat er Musik studiert und ist vierzig Jahre lang mit einem Orchester rund um die Welt gereist. In seiner Pension hat er auf dem Grundstück seiner Eltern in Australien fünfhundert Schafe gehalten. Dort sitzt er jetzt manchmal in der Abendsonne und spielt Querflöte für seine Schafe.

Von manchen Bewohnern der Vöestsiedlung wusste man viel, von anderen gar nichts. Dass zum Beispiel der Vater von Ilse und Emma auf der Toilette eine Datumsliste angebracht hatte, in der alle Mitglieder seiner Familie täglich eintragen mussten, ob sie Stuhlgang gehabt hatten oder nicht, und wenn ja, wie die Konsistenz beschaffen gewesen war (fest, breiig oder dünn), wussten alle. Von der Familie Huber anderseits wusste man gar nichts. Nur dass der Herr Huber Arbeiter in der Vöest war und seine beiden Söhne nie im Hof spielten.

Herr Vöss zum Beispiel war Vorarbeiter, der sich dann zum Angestellten hocharbeitete, Herr Lindner arbeitete wie mein Vater in der Generaldirektion der Vöest, die dem Wohnblock gegenüberlag. Er wurde später Prokurist und zog aus der Siedlung aus. Es hieß, er sei mit seiner Familie in eine weiße Villa am Pöstlingberg gezogen. Der Vater von Emma und Ilse war wie Herr Rosenfeldt Chemiker. Der Vater von Markus war Ingenieur, Gabis Vater Arbeiter, Herr Bartik und Herr Homolka ebenfalls. Die Arbeiter in der Vöestsiedlung führten, mit Ausnahme von Herrn Bartik, in der Regel ein zurückgezogenes Leben. Sie hielten sich mit Kommentaren zum Siedlungsleben eher zurück und unterschrieben diverse Forderungen an die Wohngenossenschaft nach Verbesserungen nicht.

Kurze Zeit hatte einmal ein österreichischer Diplomingenieur mit seiner dänischen Frau und ihren beiden kleinen Kindern in der Siedlung gewohnt. Die dänische Frau war bei unseren Müttern sehr beliebt gewesen, bis sie eines Tages begonnen hatte, Jörgi, ihren jüngsten Sohn, der immer lachte, an der Teppichstange mit einer Leine anzubinden, die in einem Brustgeschirr eingehakt wurde, damit er nicht über die Böschung fiel, wenn sie in der Küche war und kochte. Die Siedlungsmütter fanden das unangemessen. »Ein Kind leint man nicht an wie einen Hund«, sagte meine Mutter beim Abendessen zu meinem Vater, der irgendwie abwesend nickte. Jörgi selbst machte das aber gar nichts aus. Er saß unter der Teppichstange und spielte mit den Kieselsteinen. Wenn jemand vorbeikam oder auf dem Wäscheplatz Wäsche aufhängte, lachte er. Überhaupt fanden in dieser Zeit seltsame Dinge statt. Im Nachbarhaus stiegen nachts fremde Männer durchs Kellerfenster. Meine Eltern taten wer weiß wie geheimnisvoll, wenn sie darüber sprachen. Eines Nachmittags schlich ich zum Nachbarhaus und sah, dass ein Fenster zum Keller nur angelehnt war. Das zweite von rechts. Direkt unter dem Fenster war, wie bei uns auch, die Waschküche mit dem Waschtisch. Wozu genau ein Waschtisch eigentlich vorgesehen war, hatte sich mir nie erschlossen. Tatsache war, dass er direkt neben der Waschwanne und dem Waschbottich stand, der von unten mit Kohle geheizt werden konnte. In der Waschwanne wurde die Wäsche eingeweicht. Dann kam sie in den heißen Waschbottich, wo die Wäsche mit einem langen Holzstab ständig umgerührt und, je nach Verschmutzungsgrad, hinterher noch mit Kernseife auf dem Waschbrett gerubbelt werden musste. Dann wurde sie in der Waschwanne wieder ausgespült. Ich mochte den Waschtag gern, weil dann die ganze Waschküche in Nebel gehüllt war, sodass man keine zwei Meter weit sehen konnte. Ich stellte mir immer vor, es wäre meine Hexenküche. Während meine Mutter sich mit den schweren nassen Wäschestücken plagte, hexte ich, dass sie auf den schmutzigen Betonboden der Waschküche fielen, was auch tatsächlich öfter der Fall war. Meine Mutter schimpfte dann vor sich hin und warf sie wieder in den Bottich. Die Frage war nur, was machten die fremden Männer in der Waschküche des Nachbarhauses? Das Rätsel hätte sich mir nie erschlossen, wenn ich nicht eines Nachts besonders lange Rosenkränze zur Errettung meines Onkels Wilhelm, der kurze Zeit vorher gestorben war, gebetet hätte und dabei hörte, wie meine Mutter im Wohnzimmer zu meinem Vater sagte, die Frau Homolka liege nachts nackt auf dem Waschtisch, sodass die Männer direkt auf sie hinuntersteigen könnten. Ich fragte mich, ob ich mich verhört hatte. Warum um Gottes willen sollte die Frau Homolka nachts statt in ihrem Bett in der Waschküche auf dem harten Waschtisch liegen? Und noch dazu nackt. Übrigens eine schreckliche Vorstellung. Die Frau Homolka war sehr dick und ich war überzeugt, dass sie sich auf dem Waschtisch, kaum waren die Männer auf sie hinuntergestiegen, umdrehte und die Männer reihenweise unter sich zerquetschte. Die Episode dauerte nicht lange. Irgendwann verschwanden die Homolkas aus unserer Siedlung und das Waschküchenfenster war wieder geschlossen.

Was habe ich eigentlich, sechsundsechzigjährig, in einem Haus am Rande eines Naturschutzgebiets sitzend und schreibend, mit einer Siebenjährigen zu tun, die versucht, die Geheimnisse in einer Waschküche zu entschlüsseln? Erfinde ich diese Siebenjährige, indem ich über sie schreibe, oder hat es sie wirklich gegeben, und wenn ja, war sie vielleicht ganz anders, als ich sie beschreibe? Und was bedeuten alle diese Tatsachen wie Waschküche, Indianerspiele, Hausmeister? Ist auch nur irgendetwas daran real oder sind es Chimären am Horizont eines glasklaren Föhntages? Wenn ich mich vor den Spiegel stelle, kann ich keine Spuren dieser Siebenjährigen in meinem Gesicht entdecken. Auch nicht die einer Achtzehn-, Zwanzig- oder Dreißigjährigen. Alles nur in meinem Kopf, seinem Universum und den Paralleluniversen. Seltsam, wie es ihm gelingt, die vielen Ichs in dieses eine, mein Leben zu gießen. Aber vielleicht ist es ja auch ganz andersherum und mein jetziges Ich, in einem Haus am Rande des Naturschutzgebietes, sitzend und schreibend, ist die Chimäre am Horizont eines glasklaren Föhntages. Vielleicht sitze ich ja in Wirklichkeit auf einem spitzen Felsbrocken am Rande des Urmeeres und lache.

Sehr seltsam waren auch die Vorgänge in der Familie Kreuzmayr, die bereits zwei erwachsene Kinder hatte, die nicht mehr zu Hause wohnten. Plötzlich tauchten ein vierjähriges Mädchen und ein fünfjähriger Bub in der Familie auf. Zuerst dachte ich, es wären vielleicht die Enkelkinder der Familie Kreuzmayr, aber meine Mutter sagte, die Kreuzmayrs hätten zwei Pflegekinder aufgenommen. »In dem Alter!«, fügte sie hinzu und schüttelte den Kopf. Wir im Hof waren naturgemäß sehr interessiert an den Pflegekindern. Hatten die keine Eltern mehr oder waren sie den Eltern weggenommen und den Kreuzmayrs zugeteilt worden? Oder waren die Kinder krank und brauchten deshalb besondere Pflege durch die Kreuzmayrs? Genau das fragten wir die zwei Pflegekinder, aber die sagten kein Wort. Sie standen immer nur stumm herum und hielten sich an den Händen. Man konnte absolut nichts mit ihnen anfangen und wir verloren deshalb mit der Zeit das Interesse an ihnen. Das Mädchen hatte sowieso ständig eine Rotzglocke und der Bub schielte. Nur Theo versuchte noch einmal, die beiden aus der Reserve zu locken, indem er das Gesicht zu einer Fratze verzog und fürchterlich brüllte. Die zwei liefen in die Wohnung der Kreuzmayrs zurück und kamen von da an gar nicht mehr in den Hof. Sie standen Hand in Hand auf dem Balkon und schauten auf uns hinunter. Sie blieben dann ohnehin nicht lange bei den Kreuzmayrs. Angeblich sagten sie auch bei den Kreuzmayrs zu Hause kein Wort, machten jede Nacht ins Bett und brachten die Frau Kreuzmayr an den Rand eines Nervenzusammenbruchs. Meine Mutter triumphierte. Ich wusste sofort, dass es ein Blödsinn ist, sagte sie, »in dem Alter noch Pflegekinder aufzunehmen.« Als die leibliche Tochter der Kreuzmayrs dann ein Kind bekam, gaben sie die beiden Pflegekinder wieder zurück und die Frau Kreuzmayr kümmerte sich um ihr Enkelkind.

Mich ließ die Vorstellung, wir würden ebenfalls ein Pflegekind aufnehmen, nicht mehr los. Meine Mutter war ja noch nicht so alt wie die Frau Kreuzmayr. Ich war der Meinung, meine Eltern sollten einen Pflegebuben aufnehmen, natürlich einen, der nicht schielte. Er müsste etwa vier Jahre älter sein als ich, groß, stark und schwarzhaarig. Ich hätte dann einen älteren Bruder, der mich überall verteidigte. Ich muss meinen Eltern damit Tag und Nacht in den Ohren gelegen haben, denn sie überlegten meiner Erinnerung nach damals tatsächlich, einen Buben zu adoptieren. Gott sei Dank entschieden sie sich schließlich doch dagegen. Soweit ich das mitbekommen habe, war der Hauptgrund, dass so ein Bub ja ständig älter wurde und dann nicht mehr bei mir im Kinderzimmer schlafen konnte, sodass sie ihn ins Kabinett einquartieren hätten müssen, wodurch meine Mutter dann keinen Raum mehr zum Nähen und Bügeln gehabt hätte.

Später taten mir die beiden Pflegekinder der Kreuzmayrs dann sehr leid. Es hieß, sie seien im SOS-Kinderdorf untergekommen. Vom SOS-Kinderdorf hatte ich schreckliche Geschichten gehört. Die Kinderdorfmütter bestraften angeblich ihre Zöglinge, indem sie diese mit heißen Bügeleisen bügelten. Von einer SOS-Mutter hatte ich gehört, dass sie den Kindern Ohrwürmer in die Ohren setzte, die sich dann bis zum Gehirn durchfraßen, wodurch die Kinder wahnsinnig wurden. Meine größte Befürchtung war es daraufhin, meine Eltern könnten bei einem Autounfall sterben und ich würde im SOS-Kinderdorf landen.

Auch so ein Gedankenspiel: Angenommen, ich wäre tatsächlich in einem SOS-Kinderdorf gelandet. Was wäre aus mir geworden? Hätte ich meine Kriegserklärung beibehalten oder hätte ich mich ergeben? Ich glaube, ich hätte resigniert. Aber vielleicht glaube ich das nur, weil Sechsundsechzigjährige grundsätzlich zur Resignation neigen. Ich resigniere ja schon, wenn ich in der Früh aufstehe und die Sonne scheint. Die Frage ist dann, soll ich zuerst spazieren gehen (man weiß ja nie, wann der Himmel sich wieder bewölkt) oder doch zuerst arbeiten, weil morgens die Kräfte noch einigermaßen verfügbar sind, um später, womöglich todmüde, im Regen spazieren zu gehen. Oftmals lege ich mich dann wieder ins Bett und schlafe noch eine Stunde. Für eine Siebenjährige wäre das gar keine Frage, wenn sie die Wahl hätte. Eine Siebenjährige ist grundsätzlich im Kriegszustand. Da heißt es raus ins feindliche Leben. Wir über Sechzigjährigen leben seit Jahrzehnten im Frieden, insbesondere wenn wir in Pension sind, auch wenn wir, so wie ich, gar nicht in Pension gehen können, weil eine Schriftstellerin in der Regel nicht genug Pension erhält, um davon leben zu können. Im Frieden hat man die Wahl. Im Krieg nie. Ich vermute also, ich hätte mich sogar im SOS-Kinderdorf durchgeschlagen. Womöglich hätte ich dort bereits als Kind mehr erfahren als später in meinem ganzen Studium der Germanistik. Ich hätte womöglich erfahren, wie man Gartenschläuche benutzt, weil ich im SOS-Kinderdorf ständig hätte arbeiten müssen. Vielleicht würde ich sogar heute das Heizungssystem unseres Hauses verstehen und wäre dadurch imstande, selbst Bruno zu überleben.

Ich muss bereits in der zweiten oder dritten Klasse

der Volksschule gewesen sein, als plötzlich Onkel Kurt in meinem Leben auftauchte. Er war eigentlich gar nicht wirklich mein Onkel, sondern ein alter Schulfreund meines Vaters aus dem Böhmerwald, der inzwischen als Tierarzt in Sierning lebte. Mein Vater hatte ihn in der vom »Verein der heimattreuen Böhmerwäldler« herausgegebenen Zeitschrift »Hoam«, die er jahrelang abonniert hatte und erst 1973 abbestellte, als unter dem Titel »Endlich fließt rotes Blut in Chile« das gewaltsame Ende der demokratisch gewählten sozialistischen Regierung gefeiert wurde, ausfindig gemacht. Unter der Rubrik »Geburtstage« war einem gewissen Kurt Mirwald aus Sierning gratuliert worden. Mein Vater wurde ganz aufgeregt, die meisten seiner Schulfreunde waren nach der Vertreibung der Deutschen aus der – damals sogenannten – Tschechoslowakei entweder verschwunden oder schon tot. Der Kurt, sagte mein Vater immer wieder, mein Gott, der Kurt. Schließlich rief er ihn an und eines Sonntags fuhren wir nach Sierning. Für mich war es eine Offenbarung. Wir waren gerade in Sierning angekommen und mein Vater und der Onkel Kurt hatten jeweils gerade ein paarmal »Mein Gott, der Kurt« oder »Mein Gott, der Fritz« gesagt, als der Onkel Kurt zu einem Noteinsatz auf einen Bauernhof gerufen wurde. Ein Kalb war im Leib seiner Mutter steckengeblieben. Mein Vater und ich durften zu dem Noteinsatz mitfahren, während meine Mutter und die zweite Frau des Onkel Kurt, Hilla, in Sierning blieben, Kaffee tranken und Kuchen aßen. Offenbar verstanden sie sich auf Anhieb. Wir rasten mit dem alten Kombi meines Onkels über holprige Feldwege zu dem Bauernhof. Ich hatte so etwas noch nie erlebt. Der Onkel und der Bauer und am Ende auch mein Vater zerrten gemeinsam mit aller Kraft das Kalb an den Beinen aus dem Leib der Kuh heraus, die schrecklich muhte. Ich war schweißgebadet vor Angst, dass das Kalb endgültig steckenbleiben würde. Aber sie schafften es. Irgendwann plumpste ein klitschnasses Wesen mit viel zu langen Beinen ins Stroh. Mein Onkel, mein Vater und der Bauer richteten das Kalb auf und sagten, dass es aufrecht stehen bleiben müsse, sonst würde es nicht überleben. Das Kalb stand sehr wackelig auf seinen langen dünnen Beinen, aber es fiel nicht hin. Die Sonne fiel durch Ritzen im Stalldach, sodass der ganze Stall golden glänzte. Eine Stimmung, die in starkem Gegensatz zu dem Gestank im Stall stand. Die Kuh schleckte dann das Kalb fein säuberlich ab und der Bauer brachte meinem Onkel, meinem Vater und sich selbst einen Schnaps und mir ein Glas Milch. Während die Männer im Bauernhaus, wo die Bäuerin eine Speckjause vorbereitet hatte, jausneten, ging ich mit dem Glas Milch auf die Wiese vor den Stall, durch die ein Bach floss. Er plätscherte friedlich dahin und der Bewuchs in seinem Bachbett streckte sich unentwegt in die Fließrichtung. Ich stellte mir vor, ich würde auf einem Bauernhof mit hundert Kühen leben. Die Sonne ging langsam unter, und wir fuhren dann irgendwann heim.

Ich weiß nicht, wann diese Manie mit den Aufsätzen

eigentlich angefangen hat. Wahrscheinlich schon in der zweiten Klasse der Volksschule: »Meine Familie«, »Unsere Wohnung«, »Ein Ausflug mit meiner Familie«, »Unser Auto« etc. Ich hasste Aufsatzschreiben. Es kam mir immer so vor, als ob die Lehrerin hinterrücks unsere Familienverhältnisse ausspionieren wollte. Meistens bekam ich ein »Befriedigend«, oft sogar nur ein »Genügend« auf meine lediglich aus zwei oder drei Sätzen bestehenden Aufsätze. Aber nachdem ich in dem nächsten Schulaufsatz mit dem Titel »Ein wunderschöner Tag« beschrieben hatte, wie ich mit meinem Onkel Kurt und meinem Vater ein Kalb aus einer Kuh herausgeholt hatte, bekam ich ein glattes »Sehr gut«. Die Lehrerin lobte mich für meine Fantasie, weil sie sich nicht vorstellen konnte, dass ich wirklich dabei gewesen war, wie mein Onkel Kurt, mein Vater und der Bauer das Kalb aus dem Leib seiner Mutter gezerrt hatten.

Ich hatte bis dahin nicht gewusst, dass es außerhalb von Wohnsiedlungen so schöne Häuser gab wie das von meinem Onkel Kurt. Es lag an einer ansteigenden, kaum befahrenen Straße, von der aus man das Haus nicht sehen konnte. Öffnete man das Eingangstor aus Holz, gab es den Blick frei auf eine ansteigende Blumenwiese, durch die eine aus unregelmäßigen Steinen bestehende Stiege zum Haus hinaufführte. Neben Glockenblumen, Margeriten, Löwenzahn und so weiter wuchsen auch Steinnelken in der Wiese, die damals meine Lieblingsblumen waren. Das Haus selbst war an der gesamten Seitenfront mit wildem Wein bewachsen. Schrecklich, sagte meine Mutter manchmal, wenn mein Onkel nicht im Raum war, leise zu meinem Vater, da klettern dir doch die Spinnen und Käfer ins Haus. Neben und hinter dem Haus wuchsen Apfel- und Birnbäume. Außerdem ein hoher Walnussbaum. Die Walnüsse aßen wir in der sogenannten Stube des Hauses mit frischem Bauernbrot und Süßmost. Überall im Haus standen schwere dunkle Möbel auf dicken Perserteppichen. Auf der Heimfahrt nach Linz sagte meine Mutter oft, dass sie depressiv würde in einem Haus mit so schweren dunklen Möbeln, aber mir gefielen sie. Besonders gefiel mir das Arbeitszimmer meines Onkels. Onkel Kurt hatte nämlich gar keine Ordination, sondern nur sein Arbeitszimmer. Das Arbeitszimmer war voller schwerer dunkler Möbel und schwerer dunkler Bücher. In einem Kasten mit Glasfront stand ein echter Totenkopf. Sein Schreibtisch war so groß wie bei uns daheim der Esstisch. Darauf stand ein Tintenfass mit einer Feder, aber ich habe nie gesehen, dass mein Onkel Kurt mit der Feder geschrieben hätte. Lange Zeit dachte ich, dass mein Onkel die Katzen und Hunde und Meerschweinchen auf dem prächtigen Schreibtisch untersuchte, aber mein Onkel sagte, dass er gar keine Katzen oder Hunde oder Meerschweinchen behandelte. Er behandelte nur Kühe, Schafe und Schweine. Schade eigentlich. An dem Haus meines Onkels gefiel mir auch, dass es keine großen Fenster hatte. Alle Fenster im Haus waren klein und mit grünen Holzlatten in noch kleinere Quadrate unterteilt. Wenn meine Eltern mit meinem Onkel und seiner zweiten Frau Hilla aus Wien vor dem Kamin im Wohnzimmer saßen und die Probleme besprachen, die seine zweite Frau Hilla mit Lotte, der Tochter aus der ersten Ehe meines Onkels hatte, setzte ich mich meistens im Garten unter einen Baum und stellte mir vor, ich würde in dem Haus wohnen und zwei Schafe halten. Ein weißes und ein schwarzes.

Wenn ich nicht bereits so alt wäre, würde ich Bruno vielleicht überreden, ein oder zwei Schafe im Garten unseres Hauses im Waldviertel zu halten. Oder besser noch Ziegen. Ich habe Ziegen immer geliebt, auch wenn sie, wie ich neulich irgendwo las, über jeden Zaun springen und überhaupt sehr eigensinnig sind. Vielleicht mag ich sie ja gerade deshalb so gerne. Und Bruno müsste nie mehr Rasen mähen! Oder wir würden uns einen Hund anschaffen, mit dem wir bei jedem Wind und Wetter spazieren gehen müssten. Da fielen viele Grübeleien über »Zuerst Spazierengehen oder zuerst Arbeiten« einfach weg. Etwas Lebendiges kommt immer zuerst dran. Aber was würde mit den Ziegen und Hunden geschehen, wenn sie uns überlebten? Der Freund, der uns damals abgeraten hat, in ein Haus auf das Land zu ziehen, weil Umziehen in unserem Alter Zeitverschwendung wäre, und der selbst ein Leben lang überlegt hatte, einen Hund anzuschaffen, hat auch gesagt: Wenn man davon ausgeht, dass ein Hund circa fünfzehn Jahre alt wird, muss man sich bis fünfundsechzig für oder gegen einen Hund entschieden haben. Danach ist es verantwortungslos. Der Freund ist heute siebenundsechzig Jahre alt und hat keinen Hund. Vielleicht ist es ja besser so. Schließlich hat jede Idylle ihren Preis und Ziegen und Hunde sind noch pflegeintensiver als jeder Swimmingpool.

Auch die Idylle in Sierning damals hatte keinen Bestand. Eines Tages zog die gemeinsame Tochter meines Onkels Kurt und seiner Frau Hilla mit ihrem Freund, der meiner Erinnerung nach genauso alt war wie mein Onkel Kurt, in das Haus ihrer Eltern. Sie bauten den Dachboden aus und warfen die schweren dunklen Möbel alle weg. Statt der kleinen Dachfenster zogen sie Glasfronten ein, sodass sie vom Dachboden aus auf die Birn- und Apfelbäume sehen konnten. Später fällten sie dann die Apfel- und Birnbäume, warfen einen Erdhügel auf und bauten eine Betonterrasse an die Hinterseite des Hauses, zu der sie vom ausgebauten Dachboden direkt Zugang hatten. Mit der Zeit gestalteten sie alles um. Statt der Wiese legte der Freund der Tochter meines Onkels Kurt und seiner Frau Hilla einen Steingarten an, in dem, so wie in dem Steingarten des Herrn Bartik bei uns in Linz, Edelweiß und Enzian wuchsen. Die Möbel im gesamten Haus wurden immer heller, die Fenster größer. Meine Mutter war begeistert. Nur, dass der Freund der Tochter meines Onkels Kurt und seiner zweiten Frau Hilla immer dazu sagte, was der Dachausbau, die Fenster, die neuen Möbel, der Steingarten und so weiter gekostet hatten, fand sie angeberisch. Das

Fenster in eine andere Welt, das sich mit meinem sogenannten Onkel Kurt und seinem Haus einen kleinen Spalt geöffnet hatte, schloss sich wieder. Wir sind später nie mehr zu meinem Onkel Kurt nach Sierning gefahren. Er ist bald nach dem Umbau an einem Herzinfarkt gestorben.

Zu Fronleichnam bekam ich eine Lockenfrisur, damit der Blumenkranz im Haar während der Fronleichnamsprozession nicht von meinen schnittlauchglatten Haaren rutschte. Die Locken wurden mit einer Brennschere gedreht, die über einem offenen Feuer erhitzt wurde. Bereits einen Häuserblock vor der Eckwohnung in der Eisenwerkstraße, in der die Weißenböcks ihr Friseurgeschäft eingerichtet hatten, roch es nach verbrannten Haaren. Frau Weißenböck war für die Damen zuständig, Herr Weißenböck für die Männer und die Kinder. Frau Weißenböck war eine kleine, rundliche Person mit wasserstoffblonden Haaren, einer Stupsnase und einem rosarot bemalten Schmollmund. Herr Weißenböck war zwei Köpfe größer als seine Frau, hatte eine Adlernase und eine Tolle vorne an der Stirn. Wenn ich einmal im Jahr mit meiner Mutter zum Lockenbrennen kam, küsste er mir die Hand, indem er sich übertrieben verbeugte und die Lippen spitzte. Seine Frau verdrehte dann hinter ihm die Augen und widmete sich im hinteren Raum der Dauerwellenfrisur meiner Mutter. Ich musste alleine mit dem überdrehten Friseur vorne im Salon sitzen, wo normalerweise die Männer rasiert wurden. Alles an Herrn Weißenböck war peinlich. Die Art, wie er mir das Friseurtuch um die Schulter legte, als wäre es eine Pelzstola, wie er die Brennschere herumwirbelte, um sie abzukühlen, wie er mit der Brennschere in der Hand um mich herumtänzelte und dann ohne jede Vorsicht begann, das Ende einer Strähne meiner Haare zwischen die stumpfe Schere zu nehmen, anzuziehen und sie so fest einzurollen, dass die Kopfhaut spannte. Dazu sang er »Margit, du bist mein Augenstern, Margit, hab dich zum Fressen gern«. Deshalb bekam ich auch nur Bruchstücke der interessanten Gespräche mit, die die Dauerwellendamen im hinteren Teil des Friseurgeschäfts führten. Immerhin erfuhr ich, dass der Vater vom Basti seine Frau betrog, aber nicht mit wem. Ich hasste den Herrn Weißenböck. Wenn er eine Strähne meiner Haare eingerollt hatte, zog er noch ein bisschen an und wartete, bis die Schere abkühlte. Ich hatte während der ganzen Prozedur eine Heidenangst, dass er mich eines Tages mit der Brennschere versengen würde. Manchmal hatte ich den Eindruck, er legte es sogar genau darauf an. Während er mit der rechten Hand Locken in meine Haare brannte, zwickte er mich mit der linken Hand öfter in die Wange oder kitzelte mich am Kinn. Er hatte dicke Wurstfinger. Kann ein Mensch mit dicken Wurstfingern überhaupt ein guter Friseur sein, oder versengt er nicht zwangsläufig Fronleichnamsprozessionskinder mit der Brennschere? Noch dazu, wenn er währenddessen die Fronleichnamsprozessionskinder auch noch in die Wange zwickt? Wenn ich zusammenzuckte, spürte ich die heiße Brennschere auf meiner Kopfhaut. Die wasserstoffblonde, mollige Frau Weißenböck erzählte meiner Mutter gerade, dass die nette dänische Mutter vom Jörgi einmal die Woche freiwillig bei »Jugend am Werk« mitarbeite und dass sie dabei … Ausgerechnet an dieser Stelle begann Weißenböck wieder mit seinem Augenstern. Ich hätte ihn erwürgen können. Die »Jugend am Werk« interessierte mich. Wenn meine Mutter und ich in die Innenstadt fuhren, was eigentlich nur vorkam, wenn ich neue Schuhe oder neue Kleidung brauchte, mussten wir die Muldenstraße hinunter bis zur Straßenbahnhaltestelle »Vöest« gehen. Damals führte noch ein schmaler Sandweg rechts oberhalb der Muldenstraße entlang, vorbei am größtenteils verwilderten Gelände der »Irrenanstalt Niedernhart«. Danach hieß es »Wagner-Jauregg-Krankenhaus« und seit kurzem »Kepler-Universitätsklinikum-Neuromed-Campus« und ist großflächig ausgebaut. Der Fußweg damals war durch einen Maschendrahtzaun von dem Gelände abgetrennt. Davor wuchsen dichte Büsche und Bäume, sodass man nicht viel vom Gelände dahinter sah. Nur zwei Baracken und Glashäuser, in denen Jugendliche aus Niedernhart Gemüse anpflanzten. Im Herbst wuchsen auf den Büschen neben dem Weg Brombeeren, die meine Mutter und ich pflückten und aßen, obwohl sie von dem starken Berufsverkehr, der auf der Muldenstraße Richtung Vöest rollte, ganz staubig waren. Diesen Weg entlang kamen manchmal Jugendliche, die nur ambulant in Niederhart behandelt wurden und deshalb von oder zu der Arbeit der »Jugend am Werk« kamen oder gingen. Manche von ihnen redeten die ganze Zeit vor sich hin, andere gestikulierten. Die meisten waren in Begleitung von Erwachsenen. Aber einmal begegneten wir einem Jugendlichen, der uns ganz allein auf dem Weg entgegenkam. Er hatte ein dickes Gesicht und Schlitzaugen. Plötzlich, ein paar Meter vor uns, fummelte er an seinem Hosenschlitz herum. Meine Mutter nahm mich sofort fest an der Hand und versuchte auszuweichen. Das war aber unmöglich. Rechts von uns waren der Maschendrahtzaun und das stachelige Gebüsch, links ging es steil zur Muldenstraße hinunter. Der Jugendliche hatte inzwischen sein Ding aus der Hose gefummelt. »Wirst du das wieder einpacken«, rief meine Mutter im Befehlston, aber der Jugendliche lachte nur fröhlich und begann sein Ding so heftig zu schüttelten, dass es hin und her schlotterte. Es war groß und braun, darunter hingen zwei Glocken. Ich war beeindruckt. Bis dahin hatte ich nur beim Vater-Mutter-Kind-Spielen den winzigen Pimmel von Basti gesehen, als Edda und ich überprüfen mussten, ob Basti Masern hatte. Je heftiger der Jugendliche sein Ding schüttelte, desto größer wurde es. Ich hatte immer schon den Verdacht gehabt, dass die Buben bei uns im Hof etwas Besonderes hatten, das wir Mädchen nicht hatten. Nun wurde mir schlagartig klar, was sie so überlegen machte, dass sie lachten, wenn wir uns unter die Büsche hockten um zu pinkeln. Wir mussten direkt an dem Jugendlichen vorbei. Meine Mutter begann so laut zu schimpfen wie die Obdachlose vom Volksgarten, die mit unzähligen Nylontaschen neben sich immer auf einer bestimmten Bank saß und die Vorübergehenden beschimpfte. Der »Jugend am Werk«-Tätige ließ sich davon nicht abhalten und rieb immer kräftiger an seinem Ding. Meine Mutter war ganz außer sich und begann mit mir an der Hand zur Straßenbahnhaltestelle zu laufen, wo sie gleich allen auf die Straßenbahn Wartenden von dem Vorfall erzählte. Alle waren sich einig, dass die »Jugend am Werk« weggesperrt werden müsste.

Und bei so etwas arbeitete die Mutter vom Jörgi freiwillig mit. Unglaublich interessant. Ich hätte gerne gewusst, was sie dabei so alles erlebte, aber der blöde Herr Weißenböck hörte ja nicht auf mit seinem Gedudel. Das alles war sehr ärgerlich. Noch dazu, weil ich nach der ganzen Prozedur total beschissen aussah. Ich hatte am ganzen Kopf kleine Löckchen wie der dicke goldene Engel in der Domkirche. Wenn ich Glück hatte und es regnete zu Fronleichnam, gingen die Löckchen sofort weg, wenn nicht, musste ich in dem Zustand den ganzen Tag herumlaufen. Und noch dazu während der Fronleichnamsprozession mit einem Blumenkranz im Haar, einem weißen Spitzenkleidchen und meinen Lackschuhen hinter dem Pfarrer und seinen Ministranten Blumen streuen, die wir in einem geflochtenen Körbchen dabeihatten.

Später, bei einem unserer Urlaube mit den Verwandten aus dem Ruhrgebiet an einem österreichischen See, erzählte ich meinem Cousin Nils von dem Vorfall. Mein

Cousin lachte sehr. Kann ich mir vorstellen, sagte er und kicherte, dass deine Mutter in Panik geraten ist. Weiter schien ihn der Vorfall nicht zu interessieren. Aber mich. Ich musste die ganze Zeit daran denken, dass auch mein Cousin Nils und vielleicht sogar mein Vater so ein Ding hatten, das sich ausdehnte, wenn sie es schüttelten. Und überhaupt! Was mochte sich in dem kalten Schlafzimmer meiner Eltern nachts abspielen? Die Edda behauptete, nachts lege sich mein Vater auf meine Mutter und stecke sein Ding in sie hinein. So sei ich entstanden. Eine grauenhafte Vorstellung. Ich war überzeugt, dass meine Mutter es niemals zulassen würde, dass mein Vater sein Ding in sie hineinsteckte. Eines Tages fragte ich sie direkt. Meine Mutter hüstelte und wurde rosa im Gesicht, was ein Zeichen war, dass Edda Recht hatte, auch wenn meine Mutter es abstritt. Sie erzählte völlig zusammenhanglos irgendetwas von Blumen und Bienen und Blütenstaub und verbot mir den Umgang mit Edda. Ich sah die Welt von da an mit anderen Augen. Nachts konnte ich mich nicht mehr auf die Errettung der armen Seelen aus dem Fegefeuer konzentrieren. Das muss man sich einmal bildlich vorstellen: Es ist runzelig, aber trotzdem wie eine Nacktschnecke. Die Runzeln sind dazu da, dass die Nacktschnecke sich strecken kann und die Haut trotzdem nicht platzt. Aber in dem speziellen Fall des Jugendlichen am Werk hatte sie sich ja nicht nur gestreckt, sondern auch gedehnt. Strecken ja, aber auch noch dehnen? Wo hat sie die Haut dazu? Und wieso hängt sie zuerst ganz schlaff herum und stellt sich dann auf? Und zwar, ohne dass sie gehalten werden muss. Das hatte ich genau gesehen. Auf einmal dieses Eigenleben! Woher kam das? Keine einzige Nacktschnecke, ob orange, braun oder rot, kann aus dem Stand aufs fünffache oder sogar noch mehr anwachsen. Da kann sie noch so sehr geschüttelt werden. Sie kann ja auch nicht plötzlich laufen. Eine Schnecke kriecht immer. Auch wenn sie mit einem Zweig angestupst wird, läuft sie nicht weg. Eine Eidechse zum Beispiel verliert dann ihren Schwanz. Hatte ich zwar noch nie gesehen, aber alle behaupteten das. Sie wirft angeblich den Schwanz ab und flitzt davon. Eidechsen sind schnell. Sie fressen sogar ihre Kinder. Aber Schnecken? Schnecken haben keinen Schwanz. Ein Regenwurm kann sich strecken und zusammenziehen, wobei er ein bisschen dicker oder dünner wird. Aber höchstens ein paar Millimeter. Er kann sich sogar aufbäumen. Sungard bei uns im Hof hat einmal einen lebendig gegessen. Uns hat es total gegraust, aber Sungard war stolz darauf. Sie war die jüngste von vier Geschwistern, da muss man sich wahrscheinlich schon etwas einfallen lassen, um aufzufallen. Später hat sie sogar einmal einen lebendigen Maikäfer gegessen. Es hat richtig gekracht, als sie ihn durchgebissen hat. Aber eine Nacktschnecke hätte nicht einmal Sungard gegessen. Ich war ganz durcheinander von all den Gedanken und konnte nicht einschlafen. Aus Frustration begann ich, in der Nase zu bohren und den Rotz auf die hölzerne Seitenwand meiner Ausziehcouch zu schmieren, die tagsüber nicht sichtbar war. Wenn ich dann nachmittags mit meinen Puppen auf der Couch saß, grauste mir vor meinem eigenen Rotz hinter der Lehne. Meine Puppen, vor allem aber mein Teddy, hatten eine harte Zeit. Ich beobachtete jede ihrer Bewegungen. Auch in der Schule und in der Sonntagsmesse verfolgten mich die schrecklichsten Bilder. Ich begann mich sogar zu fragen, ob nicht auch unser Kaplan und der Pfarrer so etwas zwischen den Beinen hatten. Wenn man wirklich genau darauf achtete, dann sah man es sogar. Besonders bei Erwachsenen, wenn sie enge Hosen trugen. Ich starrte auf alle möglichen Hosenschlitze und geriet dabei in eine furchtbare Einsamkeit. Edda behauptete zwar zu wissen, woher die Kinder kamen, aber ich bezweifelte, dass sie es je selbst gesehen hatte. Ich war sicher, dass niemand außer mir das Geheimnis der Männer kannte. Außer natürlich die Männer selbst. Es war mir ein Rätsel, wie sie damit zurechtkamen. Sie waren ja Tag und Nacht Geheimnisträger so wie ich auch.

Der Spruch »Wie die Nase des Mannes, so sein Johannes« hatte mir gerade noch gefehlt. Ich glaube, ich hatte ihn sogar von meiner Mutter, die entweder selbst nicht so genau wusste, was unter Johannes zu verstehen war, oder sehr wohl wusste, was darunter zu verstehen war, aber glaubte, dass ich nie im Leben darauf käme. Kam ich aber! Daher muss meine Angewohnheit stammen, von dem Gesicht eines Menschen hauptsächlich die Nase wahrzunehmen. Andere behalten die Augen oder den Mund eines Menschen in Erinnerung, ich die Nase.

Bis heute! Wenigstens musste ich jetzt nicht mehr dauernd auf die Hosenschlitze der Männer starren. Es genügte, ihnen ins Gesicht zu schauen und meine Schlüsse zu ziehen. Mit den Jahren vergaß ich sogar, zu vergleichen.

Wahrscheinlich vergaß ich die ganze Sache überhaupt gründlich. Wieso sonst hätte ich mich zehn Jahre später darüber gewundert, dass sich beim Tanzen manchmal etwas Hartes an meinen Unterleib presste? Das kommt davon, wenn man nur auf die Nase starrt und den Blick niemals senkt. Kinder, die auf dem Land aufwachsen, sind zwar wahrscheinlich auch schockiert, wenn sie zum ersten Mal ein Pferd sehen, das ein anderes besteigt. Aber sie sind wenigstens nicht auf unverständliche Andeutungen und vage Warnungen angewiesen. »Mach dich rar« war der Ratschlag meiner Mutter an mich. Aber wie meinte sie das? Schau einem Angehörigen des anderen Geschlechts gar nicht erst in die Augen oder schau ihm nicht auf die Nase oder rede nicht mit ihm oder berühre ihn nicht oder küsse ihn nicht oder verliebe dich auf keinen Fall. Denn das Beklemmendste an der Beziehung zum anderen Geschlecht war, dass man nicht darüber sprechen konnte. Da fehlten auf einmal die Worte. Man sprach höchstens über die Liebe, und die schien wiederum auf fatale Weise mit der Sexualität zu tun zu haben. Sie war einerseits »das Höchste«, das man sich aufzusparen hatte für den jüngsten Tag, andrerseits »das Letzte«, das man ohne Liebe nicht tun sollte. Aber wie soll man wissen, was Liebe ist, wenn man sich ständig rar macht? Die ersten sexuellen Beziehungen sind Kriegserklärungen und sonst gar nichts.

Die letzten auch. Mit anderer Gewichtung. Letztlich ist Sex im Alter, da können sie im Fernsehen noch so viel Gegenteiliges erzählen, eine Kriegserklärung an den eigenen Körper. Während man als Jugendlicher aus reiner Neugier die vertracktesten Stellungen ausprobiert, riskiert man im Alter bei den simpelsten Stellungen im besten Fall einen Hexenschuss, im schlechtesten einen Bandscheibenvorfall. Oder anhaltende Nacken- und Schultersteife. Oder Wadenkrämpfe. Ich meine, da sieht man im Turnverein oder auf der Kur alte Menschen bei der Rückengymnastik auf Plastikbällen sitzen und vorsichtig auf- und abwippen und laut Fernsehen soll auf einmal der Sex im Alter der beste sein, wo allein schon einen Fuß ohne Stütze zu heben zur Herausforderung wird. Alte Männer stemmen sich mit größter Kraftanstrengung über ihre alten Frauen, die naturgemäß Angst haben, dass die Kraft in deren Oberarmen nachlassen könnte und die Männer auf ihre alten Knochen krachen. Einmal ganz abgesehen von der Ausdauer und der Gelenkigkeit, die von den Frauen gefordert wird, soll der Mann überhaupt in die Lage versetzt werden, in die Frau einzudringen. Da wird sogar die Missionarsstellung zum Extremsport.

Bei den Pinkelwettkämpfen im Hof spielte es keine Rolle, ob so ein Ding, das die Buben im Hof hatten, wie bei dem Jugendlichen am Werk sich plötzlich aufrichten und dick werden konnte. Im Gegenteil. Sie hätten sich ja praktisch an die Stirn gepinkelt. Die Länge des Dings war anscheinend auch unmaßgeblich, sonst hätte nicht Hans meistens gewonnen, sondern Markus. Andrerseits wieder kann niemand, auf dem Boden hockend, so weit pinkeln wie stehend. Noch dazu mit einer derartigen Verlängerung der Harnröhre. Unlauterer Wettbewerb! Wir Mädchen trainierten täglich. Die Hände auf dem Rücken verschränkt, mit dem Gesicht zu den Büschen stehend, versuchten wir, breitbeinig, ein wenig in die Hocke gehend, den Rücken durchgedrückt und den Unterkörper so weit wie möglich vorschiebend, zu pinkeln. Davon abgesehen, dass wir uns dabei am Ende doch meistens nur selber nass machten, weil da ja nichts zum Abschütteln war, sondern nur zum Abtropfen, war es auch peinlich, auf der Rückseite unsere nackten Hintern zu präsentieren, die man vom Häuserblock aus, wo unsere Mütter uns beobachten konnten, sehen musste. Wir hatten bald festgestellt, dass es sinnvoll war, sowohl beim Training als auch bei den Wettbewerben weite Kleider oder Röcke zu tragen. Trotzdem pinkelten die Buben weiter als wir. Schließlich entschlossen wir uns zu getrennten Wettbewerben. Die Buben waren zwar zuerst dagegen, mussten aber dann einsehen, dass sogar unsere großartigen österreichischen Schifahrer getrennte Wettbewerbe abhielten. Mir war zwar nicht ganz klar warum, denn das Ding konnte doch beim Schifahren unmöglich so eine zentrale Rolle spielen wie beim Pinkeln, aber egal. Die Buben bestanden darauf, als Schiedsrichter dabei zu sein, was aber selbstverständlich war. Wir waren ja auch bei ihren Wettkämpfen dabei. Andernfalls wären die Wettkämpfe jedes Mal in eine Rauferei ausgeartet, weil man, außer im Winter, den Urin auf dem Boden so schlecht sehen konnte. Bei den Wettbewerben standen und lagen die jeweiligen Schiedsrichter am Rand der Wettbewerbsbahn, um den Kurvenverlauf genau beobachten zu können. Das Ende der Bahn wurde mit einem Hollerzweig im Boden markiert. Die Techniken der Buben waren unterschiedlich. Markus zum Beispiel pinkelte in hohem Bogen, Hansi so flach wie möglich. Basti war für sein Alter gar nicht so schlecht, allerdings war seine Technik vollkommen unausgereift, und Theo regte sich meistens kurz vor dem Start so auf, dass er einen Anfall erlitt. (Ich schaute dann immer krampfhaft weg, damit er keine Blitze im Kopf bekam.) Jörgi, an seiner Leine an der Teppichstange festgezurrt, fand das Wettpinkeln so lustig, dass er meistens auch mitmachte. Allerding außer Konkurrenz, weil er den Austragungsort ja nicht aufsuchen konnte. Das machte aber nichts. Offenbar war er noch zu jung, um den Sinn des Wettbewerbs zu erfassen, und pinkelte ohnehin bloß auf den Kies unter sich. Außer bei Jörgi wurden dann die Längen der Pissbahn mit einem Schneidermaßband gemessen, das Ilse immer bei sich trug. Das war natürlich ungenau, weil es aus beschichtetem Leinen besteht und jede Unebenheit am Boden mit misst. Hans, der bei den Wettkämpfen besonders ehrgeizig war, besorgte dann das Stahlmaßband seines Vaters, und tatsächlich erwiesen sich die Messungen damit als wesentlich genauer. Womit Hans in der Regel der Sieg sicher war. Die Kämpfe von uns Mädchen wurden von einem Hügel hinunter ausgetragen, damit wir auch eine Chance auf eine gewisse Länge hatten. Es stellte sich heraus, dass auch die Zielsicherheit bei den Buben größer war. Bei uns konnte es passieren, dass ein Urinstrahl einen auf dem Boden liegenden Schiedsrichter traf, vollkommen außerhalb der Wettbewerbsbahnen. Diejenige wurde naturgemäß sofort disqualifiziert. Die Beste bei uns war eindeutig Edda, die fast eine Verlaufskurve wie die Buben hinbekam. Wie sie das machte, war uns anderen ein Rätsel. Sie pinkelte oft einen guten Meter weiter als die Nächstbeste.

Den spannenden Wettbewerben wurde durch Frau Smolka ein jähes Ende bereitet. Da sie keine eigenen Kinder hatte, ging es sie streng genommen gar nichts an, was wir taten. Sie erfüllte mehr oder weniger Stellvertreterfunktion aus Überzeugung. Zu dem Zweck hatte sie sich ein Fernglas besorgt, durch das sie uns oft beobachtete. Sie hatte schon mehrmals falsche Schlüsse aus unseren Spielen gezogen. So hatte sie uns auch beim Wettpinkeln durch ihr Fernglas beobachtet und die Situation vollkommen missverstanden. Frau Smolka befürchtete eine Orgie auf der Hügelkuppe. Jetzt muss an dieser Stelle einmal gesagt werden, dass sich Frau Smolka über wirklich alles, das nur möglich war, und sei es noch so harmlos, aufregte, was in der Vergangenheit bereits zu zwei Herzinfarkten geführt hatte. Sie schlug sofort Alarm. Feigerweise telefonisch, sodass unsere Mütter zuerst noch Gelegenheit hatten, uns selbst zu beobachten, weil die dauernden Beschwerden von Frau Smolka bereits siedlungsweit bekannt waren, bis dann drei unserer Mütter in den Hof stürmten. Wir wurden vollkommen überrascht. Was sehr unangenehm war, weil wir überhaupt keine Lust hatten, vor unseren Müttern mit heruntergelassener Hose dazuhocken. Voran die Mutter von Markus, der gerade am Boden hockte, Eddas Muschi im Auge, um den bevorstehenden Wettbewerbsbeitrag genau beobachten zu können. Sie gab ihm zuerst einen Tritt in den Hintern, und dann, nachdem Markus schnell aufgesprungen war, schmierte sie ihm noch eine, obwohl Markus gut einen Kopf größer war als seine Mutter. Die Mutter von Ilse und Emma hatte eine ganz andere Methode. Ohne die beiden anzurühren, befahl sie ihnen mit eiserner Miene, aufzustehen und augenblicklich nach Hause mit zu kommen. Uns allen war klar, dass die beiden wieder einmal Scheitelknien mussten. Meine Mutter wählte einen Mittelweg aus ebenfalls eiserner Miene und Gezerre an meinem Oberarm in Richtung unserer Wohnung. Die Mütter von Basti, Hans, Theo und Edda hatten offenbar nichts mitbekommen. Zu Hause setzte sich meine Mutter, wie üblich in solchen Situationen, ganz nahe zu mir auf die Couch und redete wirres Zeug, aus dem hervorging, dass sie keine Ahnung von Wettkämpfen hatte. Wenigstens erfuhr ich auf diese Weise, dass Frau Smolka, die alleine aufgrund ihres Alters ebenfalls keine Ahnung von Wettkämpfen hatte, weil man, wie sie selbst uns mehrmals im Hof mitgeteilt hatte, in ihrer Jugend nicht gespielt, sondern gearbeitet habe, angerufen und, außer sich vor Empörung, wie meine Mutter sagte, von unserer Orgie Mitteilung gemacht habe. Nachdem ich meine Mutter knapp über die Regeln eines Pisswettbewerbes aufgeklärt hatte, beruhigte sie sich erstaunlicherweise sehr schnell und sagte, das alles sei sicherlich wieder auf Eddas Mist entstanden und wiederholte ihren Befehl, mich von Edda fernzuhalten. Am Abend, als sie meinem Vater von dem Vorfall erzählte, lächelte sie schon wieder und sagte, Frau Smolka habe wieder einmal eine an sich harmlose Sache aufgebauscht. Mein Vater machte aber trotzdem seine schmalen Lippen und schüttelte, angewidert von der Pinkelei, den Kopf. Am schlimmsten waren die Folgen für Markus, denn seine Mutter meldete ihn bald darauf für das folgende Schuljahr in Waidhofen an der Ybbs in einem Internat und einer Höheren Technischen Lehranstalt an.

Man weiß ja nie, was für einen Einfluss verschiedene Ereignisse später auf das Leben haben werden. Besonders, wenn sie willkürlich gestört und mit Sanktionen belegt werden. Bei mir löste das gewaltsame Auflösen des Pinkelwettbewerbs eine Pisshemmung aus. Ich habe bis heute Schwierigkeiten damit, in einer öffentlichen Toilette in der Kabine neben einer anderen besetzten Kabine zu pinkeln. Weil man das hört. Es ist mir ein Rätsel, wie es die Männer schaffen, in Reih und Glied an den Pissoirs, womöglich ohne Zwischenwände, zu stehen und zu pinkeln, was man ja dann nicht nur hört, sondern sogar sieht. Einige sollen sich sogar dabei unterhalten. Es muss an der Einstellung liegen. Manche Männer pinkeln während eines geselligen Zusammenseins mit viel Bier oder Wein nachts lieber in ihrem eigenen Garten als auf ihrer Toilette. Und überall auf den Autobahnparkplätzen sieht man Männer stehen, die gegen Bäume oder Büsche oder einfach nur in die Wiese pinkeln. Es steht außer Frage, dass es auf den Autobahnparkplatztoiletten meistens fürchterlich stinkt, aber pinkeln Frauen deshalb etwa in jede Grünanlage?

An Frau Smolka rächten wir uns fürchterlich. Sie wohnte unter den Rosenfeldts am unteren Ende der Siedlung, direkt gegenüber der großen Platane, an die wir Justus gefesselt und wo wir ihn gemartert hatten, im Parterre des letzten Vöestsiedlungshauses. Die Smolka saß oft auf ihrer Terrasse und ärgerte sich über die Rosenfeldts, die auf dem Balkon über ihr im Winter Tauben fütterten und im Sommer ständig ihre nasse Wäsche aufhängten, die dann auf die Smolka heruntertropfte. Auch am Sonntag! An einem Wochentag, als sie einkaufen gegangen war, versteckten wir auf ihrer Terrasse, wo sie meist schon vormittags saß, um die *Oberösterreichischen Nachrichten* zu lesen und dann nachmittags wieder, um in einem Liegestuhl dicke Romane zu lesen – bei längerem Lesen schlief sie meistens ein-, eine tote Maus in dem Blumenkübel mit dem

Rhododendron. Frau Smolka suchte lange nach der Geruchsquelle. Nachdem sie die Maus entdeckt hatte, versteckten wir einen toten Vogel auf der Terrassenleuchte. Während Frau Smolkas Abwesenheit machte Markus die Räuberleiter und Basti, der Markus seit der Sache mit dem Tod seiner Oma und dem Pferderitt auf den Schultern, nicht mehr von der Seite wich, legte den schon recht ramponierten Vogel auf die Leuchte. Da Frau Smolka im Sommer auch manchmal spätabends auf der Terrasse saß und zum Lesen eines ihrer Romane die Deckenbeleuchtung anknipste, beschleunigte sich der Verwesungsvorgang. Es stank bald fürchterlich. Sie fand den Vogel nie, denn als sie wie jeden Monat am Ersten ihren gründlichen Hausputz machte und unter anderem auch auf ihre Holzleiter stieg, um die Leuchte zu putzen, lag nur mehr Staub darauf.

Apropos Staub. Die letzte Erinnerung an einen Besuch meines Cousins Nils in den Sommerferien bei uns in Linz ist die an den Brand meiner Puppenküche. Heute gibt es so etwas gar nicht mehr. Mein Vater hatte sie selbst im Keller gebastelt. Sie war aus Holz und hatte einen Teppichboden. Deshalb brannte sie wahrscheinlich so gut. In der Mitte stand ein von meinem Vater gezimmerter kleiner Holztisch mit vier selbst getischlerten kleinen Holzsesseln rundherum. Auf dem Tisch lag eine Tischdecke, die meine Mutter selbst geschneidert hatte. Wie auch die Vorhänge vor den zwei Fenstern. Ein Meisterstück meines Vaters war aber die kleine grüne Holzkommode, die in der Puppenküche stand.

Sie hatte einen Unterbau mit zwei grünen Holztüren, die man öffnen konnte. Innen waren zwei Holzbretter übereinander angebracht, auf denen man das Puppengeschirr lagern konnte. Der etwas schmälere grüne Holzaufbau der Kommode hatte ebenfalls zwei Türen, die aber aus Glas waren. Dahinter standen die Puppentrinkgläser und -tassen. Dann gab es noch einen Einbauschrank für die Pfannen und Töpfe, die Einmachgläser und Marmeladen. Der Herd war aus Metall und hatte vier Platten. Die Küche war außerdem mit einem Kühlschrank, einem Abwaschbecken und einem Ofen ausgestattet. Unter dem Ofen lag sogar ein kleines Bündel Holzscheite. Ich hatte jahrelang gespielt, in der Puppenküche zu kochen, meinen Puppen das Keksebacken beizubringen, Marmelade herzustellen, alles ordentlich in den Schränken zu verstauen und so weiter. Ich suchte nach einer Steigerung. Gott sei Dank war mein Cousin Nils bei uns zu Besuch.

Eines Tages hatte meine Puppe Rosalinde Geburtstag. Ich mochte Rosalinde nicht besonders, sie war irgendwie affektiert mit ihrem Schmollmund, den blonden Locken und den blitzblauen Augen, aber Geburtstag ist Geburtstag. Ich wollte ihr diesmal eine echte Geburtstagstorte backen. Mein Cousin bestärkte mich in diesem Vorhaben oder vielleicht hatte er es sogar vorgeschlagen. Wir warteten, bis meine Eltern zum Sonntagsspaziergang mit meiner Tante Jetti und meinem Onkel Otto aufgebrochen waren. Nils half mir beim Backen. Wir mischten Wasser, Mehl und Eier aus der

Küche meiner Mutter zu einer Pampe. Da es viel zu viel Teig für die kleine Guglhupfform meiner Puppenküche war, verwendeten wir eine Backform meiner Mutter. Die passte naturgemäß nicht auf den kleinen Puppenküchenherd. Nils war dafür, dass wir die Torte dann eben im Backrohr meiner Mutter backten, aber ich war dagegen. Ein echter Puppengeburtstag muss mit einer echten Geburtstagstorte, die in einer echten Puppenküche gebacken wurde, gefeiert werden. Deshalb gingen wir in den Keller und kramten im Campingkoffer meines Vaters herum. Nils fand gleich den kleinen Campinggaskocher. Er war trotzdem zu groß für den Puppenherd und wir stellten ihn auf den Teppichboden der Puppenküche, die er fast ganz einnahm. Ich hatte den kleinen, zusammenklappbaren Campingtisch aus dem Keller mitgenommen und deckte ihn für die Geburtstagsparty mit einer Decke, die meine Tante Käthe gehäkelt hatte, und mit dem Puppengeschirr. Nils versuchte in der Zwischenzeit, den Gaskocher in Betrieb zu nehmen. Das dauerte eine Weile, machte aber nichts, weil ich ja sowieso erst das Zimmer schmücken musste. Und ich muss sagen, es sah am Ende alles sehr feierlich aus. Die Girlanden aus Klopapier, die ich selbst mit Wasserfarben bemalt hatte, hingen über dem Campingtisch, und überall im Zimmer waren bunte Konfetti verstreut, die ich aus der Lochmaschine meines Vaters mithilfe von Buntpapier hergestellt hatte. Ich war äußerst zufrieden und holte die Backform meiner Mutter mit unserem Teig aus der Küche, Nils entzündete den

Gaskocher und in kürzester Zeit stand die Puppenküche in Flammen. Ich weiß nicht mehr, wie es uns gelungen ist, den Brand zu löschen, bevor er auf mein ganzes Zimmer übergegriffen hätte. Möglicherweise hat mein Cousin Nils zu dem Zweck Decken und Handtücher auf den Brandherd geschleudert. Da es in der Folge ziemlich stank, lüfteten wir und besprühten die ganze Wohnung mit Tannenduft aus der Sprühflasche. Wo die Puppenküche gestanden war, die bis zu ihren Grundfesten abgebrannt war, bauten wir zur Ablenkung für meine Eltern aus zwei dicken Polstern, der Häkeldecke meiner Tante Käthe und jeder Menge Konfetti einen Geburtstagsthron für Rosalinde auf. Den Gaskocher und den zusammenklappbaren Campingtisch brachten wir wieder in den Keller. Als meine Eltern gegen Abend heimkamen, hingen nur ein paar Girlanden schwarz von der Decke herab. Trotzdem waren sie sofort im Bilde. »Es stinkt in der ganzen Wohnung nach Verbranntem«, sagte meine Mutter und mein Vater sagte sofort: »Wo ist die Puppenküche?« Wir gestanden dann alles. Nur das mit dem Gaskocher aus dem Keller verschwiegen wir. Ich behauptete, ich hätte die Holzscheite unter dem Herd in der Puppenküche angezündet, um eine echte Geburtstagstorte herstellen zu können. Mein Vater beschuldigte daraufhin meinen Cousin der Aufhetzung zur Tat, meine Mutter verteidigte meinen Cousin, der ja ihr Neffe war. »Siehst du«, sagte meine Mutter daraufhin zu meinem Vater, »das hat alles viel zu echt ausgeschaut.« Ich glaube, dass mein

Cousin Nils nach diesem Ereignis nicht mehr nach Linz zu Besuch kam.

Ich besuchte Nils mit meinen Eltern noch bis zu meinem fünfzehnten Lebensjahr regelmäßig in den Ferien in Essen. Er hatte im Keller, der zu der Wohnung seiner Eltern gehörte, einen Partyraum ausgebaut, in dem sich die Jugendlichen aus der Siedlung trafen und lautstarke Musik hörten. Der Raum war mit Eierkartons ausgeschalt, weil die Pappe lärmreduzierend wirkte. Es stand auch ein Fass da unten, eine alte Couch und ausrangierte Autosessel. Mit dreizehn fand ich das ziemlich cool. In meinem fünfzehnten Lebensjahr trat ich einer linken Schülergruppe bei und brach infolgedessen mit meiner gesamten Verwandtschaft. Viele Jahre später besuchte mich Nils mit einem Freund noch einmal in unserer Studentenwohngemeinschaft in Salzburg. Da hinkte er noch stärker, was ihn aber nicht davon abhielt, mit dem Freund durch Europa zu trampen. Er war inzwischen den Jusos beigetreten, aber da alle in unserer Wohngemeinschaft dem Kommunistischen Studentenverband angehörten, fanden wir seine politischen Ansichten trotzdem ziemlich spießig.

Erst vor fünf Jahren nahm ich wieder Kontakt zu ihm auf. Nach der Buchmesse in Frankfurt fuhren Bruno und ich nach Essen. Nils hatte gekocht. Stehend. Er aß auch stehend und unterhielt sich stehend mit uns. Damals hatte er noch keine Sauerstoffmaske, sondern nur einen Schlauch in der Nase, der ihm den Sauerstoff aus einem Köfferchen, das stets neben ihm stand, zuführte.

Er fuhr damals auch mit dem Segway, da seine Verkrümmung auf die Lunge drückte und er sitzend nicht genug Luft bekam. Einen Segway brachte er auf Schienen im Fond seines Autos unter, sodass er ihm jederzeit auch bei längeren Ausflügen zur Verfügung stand. Nur in der Nacht verwendete er eine Sauerstoffmaske. Wir lernten auch seinen erwachsenen Sohn aus erster Ehe kennen, der mich sehr an den Nils meiner Kindheit erinnerte. Sein Sohn konnte keine zwei Minuten still sitzen und war bereits ein anerkannter Physiker. Nachdem Nils seit zwei Jahren die Sauerstoffmaske ständig tragen muss, sieht man sein Gesicht nicht mehr vollständig. Nur die Augen, die, wenn wir kommen oder wieder gehen, voll Tränen sind. Außer bei der Begrüßung und dem Abschied ist Nils aber keineswegs sentimental. Im Krankenhaus habe man ihm gesagt, sagte er neulich, dass niemand, der von einem Tag zum anderen so wenig Sauerstoff bekäme wie er, überleben würde. Auch nicht mit Sauerstoffmaske. Nils kicherte und zündete sich unter der Sauerstoffmaske eine Zigarette an. Erst vor einem halben Jahr hatte er den Rollstuhl bestellt. Er sagte, dass er nun nicht mehr den ganzen Tag stehen könne. Mit Rollstuhl sei er weitaus mobiler. Er hat ein Elektromodell, mit dem er zweiundvierzig Kilometer in einem Stück fahren könne. Fast bis zur österreichischen Grenze, fügte er am Telefon hinzu und kicherte.

Aber zurück zum, im Vergleich mit meinem Cousin Nils, geradezu lächerlichen Überlebenskampf in einem

Hinterhof in Linz im Jahr 1963. Manche Kinder waren sogar dazu zu schwach oder wurden von ihren Eltern vor allen Kämpfen bewahrt. Sungard und Frank zum Beispiel waren bei den meisten unserer Unternehmungen nicht dabei. Sie mussten zu Hause bleiben und lernen, selbst Sungard, obwohl sie noch gar nicht in die Schule ging. Deshalb konnte sie mit fünf Jahren schon lesen und schreiben. Ihre zwei jüngeren Geschwister hatte ich nie zu Gesicht bekommen. Der Vater von Sungard und Frank kam manchmal in den Hof. Ich hatte von Anfang an den Verdacht, dass die Mutter von Sungard und Frank ihm von dem Wettpinkeln und unserer Rache an der Frau Smolka erzählt hatte. Er war ein totaler Kontrolltyp. Es passte ihm weder, wenn wir etwas Spannendes unternahmen, noch, wenn wir im Sommer einfach nur schlaff im Hof herumlagen. Er war grundsätzlich der Meinung, dass junge Menschen sich viel bewegen sollten. Und zwar entweder beim Völkerballspielen oder beim Volleyballspielen. Einmal kam er in den Hof und spannte persönlich eine Leine in der Mitte des Wäscheplatzes, teilte uns in zwei Gruppen, und wir mussten dann den Ball über die Leine schießen, ohne dass er auf den Boden fiel. Er selbst war der Schiedsrichter und gab schnarrend seine Anweisungen. Er war aus Siebenbürgen. Niemand außer mir wusste, wo Siebenbürgen lag. Für mich war klar, dass Siebenbürgen eigentlich Siebenbergen hieß, und hinter den sieben Bergen wohnten die sieben Zwerge. Und Zwerge schnarren. Der Vater von Sungard und Frank war zwar kein Zwerg, er war, im Gegenteil, eher groß gewachsen, aber irgendetwas musste er ja von den Zwergen gelernt haben. Ich mochte die Ballspiele alle nicht. Auch später im Turnunterricht fand ich sie abstoßend. Beim Herumgerenne mit dem Ball wurde man meistens gestoßen oder weggedrängt, und wenn man am falschen Platz stand, bekam man den Ball auch noch in den Magen geschossen, dass einem die Luft wegblieb. Das wäre noch nicht das Schlimmste gewesen. Das Schlimmste waren die vielen Regeln. Mir schien nämlich mehr und mehr, dass die Regeln alle nur den einen Zweck hatten, mich zu demütigen, wenn ich sie nicht einhielt. Und wer kann schon alle Regeln einhalten im Gefecht eines Spiels? Außerdem war der Vater von Sungard und Frank ein durch und durch ungerechter Schiedsrichter. Als sein Sohn mir den Ball so hart in den Magen rammte, dass ich umfiel, wurde ich disqualifiziert, weil ich mit den Händen den Boden berührt hatte. Bodenberührung, schnarrte Franks Vater, und sein Sohn, der ein wenig dicklich war und beim Fangenspielen oft gefangen wurde, lachte.

Sonja und ich spielten nie Ball und schon gar nicht Völkerball. Wir waren ja nur zu zweit. Andere Mitspieler mussten wir selbst erfinden, was unmöglich ist bei Ballspielen! Ebenso die Zuschauer. Der kahle winzige Hof hinter Sonjas Wohnung lag in einer Senke, sodass wir nur die Füße der Passanten auf der Wankmüllerhofstraße sehen konnten, und sie uns gar nicht. Es ist, wenn man nicht ausgerechnet Völkerball spielt, leichter, Mitspieler zu erfinden als Zuschauer. Es gibt Spiele, die werden ausschließlich durch Zuschauer interessant.

Wir hatten je einen der bodenlangen Röcke an, die meine Mutter bei Theater- oder Konzertbesuchen trug und die ich vor unserem Ausflug zur Ruine Scharnstein mit einigen Kleidern aus der Faschingskiste im Keller meiner Eltern in einen Nylonsack gestopft hatte. Dazu trugen wir schwarze Perücken. Sonja die kurzhaarige, die mein Vater im Fasching als Pirat getragen hatte, und ich die langhaarige Perücke, die ich im Jahr davor als indische Prinzessin getragen hatte. Verschiedene glitzernde Tücher hatten wir um den Kopf und um den Hals gebunden. Mein Kopftuch hatte goldene Münzen an den Rändern und stammte von einem Faschingsfest, an dem sich meine Mutter als Zigeunerin verkleidet hatte. Sonja trug ein rotglänzendes Tuch mit großen bunten Blumen darauf und langen roten Fransen um die Schulter. So verkleidet, huschten wir durch die Ruine Scharnstein. Allein! Sonjas Eltern wollten nämlich in Scharnstein ein Wochenendhaus bauen und besichtigten deshalb mehrere Grundstücke. Jedenfalls waren sie beschäftigt und ließen uns ausnahmsweise in Ruhe. Wenn wir hörten, dass sich ein Auto auf der Straße unweit der Ruine näherte, traten wir mit Sonjas Babypuppe, die wir ebenfalls in ein buntes Tuch gehüllt hatten, vor die Ruine auf die Wiese. Ich weiß noch, dass uns die Leute in den Autos, die auf der nahen Straße vorbeifuhren, anstarrten. Manche Autos blieben sogar stehen, Frauen kurbelten die Fenster herunter, riefen uns etwas zu oder näherten sich sogar der Ruine. Dann liefen wir schnell fort und versteckten uns. Wir waren überzeugt, sie hielten uns für elternlose Zigeunerkinder. Es war das einzige Mal, dass Sonja sich wirklich mit ihrer Rolle identifizierte. Allerdings zu sehr. Nach einer Weile wurde sie unruhig, weil ihre Eltern nicht kamen, um uns abzuholen. Zuerst unterstützte ich ihre Unruhe, weil dadurch unser Spiel noch viel realistischer wurde. Aber sie steigerte sich so hinein, dass sie sich nicht mehr wirklich darauf konzentrierte, die Autofahrer auf der Straße zu verunsichern. »Vielleicht haben sie uns in der Ruine vergessen«, jammerte sie. Nach einer weiteren halben Stunde heulte sie bereits, weil sie vermutete, dass ihre Eltern bei einem Autounfall gestorben waren und sie jetzt wirklich ein elternloses Kind sei. Sie wurde richtig hysterisch und konnte gar nicht mehr zu heulen aufhören. Dazwischen schnappte sie nach Luft. Als ihre Eltern schließlich kamen, war Sonja völlig aufgelöst. Sie konnte auch nicht mehr sprechen, weswegen die Eltern vermuteten, ich hätte sie mit irgendeiner fürchterlichen Geschichte erschreckt. Es war das letzte Mal, dass ihre Eltern mich zu einem Ausflug mitnahmen, und auch das letzte Mal, dass wir außerhalb der Wohnung spielen durften.

Heute bin ich sicher, dass Sonjas Mutter sich später an mir gerächt hat, indem sie ihren Mann dazu drängte, mich ins Krankenhaus einzuweisen. Sonja hatte nämlich immer wieder Mandelentzündungen gehabt, sodass ihr Vater schließlich entschied, dass die Mandeln entfernt werden müssten. Da Sonja bis dahin aber noch nie von ihren Eltern getrennt gewesen war, wollte sie nicht allein ins Krankenhaus. In dem Moment musste ihre Mutter die Idee gehabt haben, mich zur Begleitung Sonjas ebenfalls ins Krankenhaus einweisen zu lassen.

Die Mandeloperation damals ist bisher die einzige Operation meines Lebens. Ich bin gespannt, wie lange das noch so bleibt. Hüft-oder Knieoperationen, Venen- oder Augenoperationen (grauer Star) sowie das Setzen eines Stents gehören heute offenbar zu Standardeingriffen bei Menschen um die siebzig. Die meisten meiner Bekannten haben alles routiniert überstanden. Im Allgemeinen hatte ich sogar den Eindruck, dass sie sehr gut zurechtkamen. Ich habe schon Menschen im Krankenhaus besucht, die haben dort Freundschaften fürs Leben geschlossen. Familienväter und -mütter haben es genossen, rund um die Uhr versorgt zu werden. Andere, meist Alleinstehende, haben die Tagesstruktur im Krankenhaus geschätzt. Etwas ganz anderes ist es naturgemäß, wenn es dabei um Leben und Tod geht: Krebs, Operationen am offenen Herzen, Organversagen, neurologische Eingriffe und so weiter und so fort. Andrerseits, man hat auch schon von Fällen gehört, bei denen ein Routineeingriff – Prostata, Bandscheibenvorfall, Leistenbruch – zu Komplikationen oder sogar zum Tod führte. Das ist zwar bei einer Mandeloperation meistens nicht der Fall, aber wer weiß!

Ich erinnere mich ganz genau an meine Mandeloperation 1963. Eines Tages, als ich aus irgendeinem Grund, wahrscheinlich wegen einer Impfung, zum Arzt musste, schaute mir Sonjas Vater plötzlich in den Mund. Er drückte meine Zunge mit einer dieser Holzspatel, mit denen Sonja und ich öfter Arzt gespielt hatten, hinunter und ich musste endlos lange Ahhhhhh sagen. Sonjas Vater runzelte die Stirn. »Die Mandeln sind sehr groß«, sagte er zu meiner Mutter. »Es wäre am besten, sie entfernen zu lassen.« Meine Mutter, für die Ärzte eine unhinterfragte Autorität waren, stimmte sofort zu. Ich kam auch nicht auf die Idee zu protestieren. Alles Weitere organisierte Sonjas Vater. Wir bekamen am selben Tag einen Operationstermin im Kinderkrankenhaus, ein gemeinsames Zimmer und je einen Pyjama mit Bärenmuster. Ich freute mich sogar auf die Operation. Endlich einmal mit Sonja ein wirkliches Abenteuer in einem wirklichen Krankenhaus. Sonjas Vater erklärte uns, dass wir während der Operation mit Lachgas betäubt werden und deshalb nicht einmal eine Spritze bekommen würden. Lachgas sei ein Betäubungsmittel, das man einatme, worauf man sich sehr wohl fühle und nichts von der Operation bemerke. Auch nach der Operation habe man keine Schmerzen, nur ein wenig Kratzen im Hals. Außerdem dürfe man dann so viel Eis essen, wie man wolle, das täte dem Hals gut. Sonja und ich berieten stundenlang, was wir alles mitnehmen würden. Sonja schleppte schließlich ihr halbes Kinderzimmer ins Krankenhaus, ich durfte nur meinen Teddy und ein Spielzeugtelefon mitnehmen. Im Krankenzimmer schoben wir die Betten nebeneinander, verteilten die mitgebrachten Spielsachen auf unseren Beistelltischchen, saßen in unseren Bärenpyjamas auf den Betten, und die Krankenschwestern brachten uns Kakao und Schokolade. Sonja wurde am nächsten Tag in aller Herrgottsfrüh als Erste operiert. Als sie wieder ins Krankenzimmer geschoben wurde, dachte ich zuerst, sie sei gestorben. Sie hatte beide Augen geschlossen und war schneeweiß im Gesicht. Aber dann erholte sich Sonja schnell, während ich fast gestorben wäre. Zumindest in meiner Wahrnehmung. Ich war nämlich im Gegensatz zu Sonja, die zwei Jahre jünger war, eigentlich zu alt für eine Betäubung durch Lachgas. Lachgas ist ja keine Narkose, sondern ein Mittel zur Sedierung, Angstlösung und Schmerzlinderung, das bei Operationen inzwischen nicht mehr angewendet wird. Im Grunde bleibt der Patient dabei wach, hat aber Halluzinationen. Dass Lachgas sich bei mir ganz anders auswirkte als bei Sonja, führe ich im Nachhinein nicht nur auf unser unterschiedliches Alter zurück, sondern auch darauf, dass Sonja nur die Rachenmandeln, mir aber die Halsmandeln entfernt wurden. Letzteres dauert einfach länger. Lachgas ist etwas für kurze Eingriffe. Jedenfalls bekam ich, so wie Sonja vor mir auch, eine Stunde vor der Operation ein Beruhigungsmittel. Als ich auf meinem fahrbaren Bett zum Operationssaal gebracht wurde, war ich allerbester Dinge. Das Wort Lachgas suggeriert ja Glücksgefühle, Euphorie, Lachanfälle. Von Lachen konnte dann aber gar keine Rede sein.

Ganz im Gegenteil. Erst fing alles ganz harmlos an. Ich lag inmitten eines hellen großen Saals auf einem Operationstisch. Um mich herum standen Ärzte und Schwestern in hellgrünen Kitteln, die, nachdem sie mich im Vorraum lächelnd begrüßt hatten, ihren hellgrünen Mundschutz aufsetzten. Ich weiß noch heute genau, dass ich der Operation selbst dann noch mit Spannung entgegensah, als sie meine Füße und Arme festschnallten. Bis sie mir eine Maske mit Lachgas auf den Mund drückten. Ich atmete auf Anordnung der Ärzte tief ein und bemerkte sofort, dass ich zu wenig Luft bekam. Ich zerrte an meinen Fesseln, aber es war zu spät. Also atmete ich immer hektischer und bekam immer weniger Luft. Gleichzeitig begannen sich die vermummten Gestalten um mich herum zu bewegen. Sie dehnten sich wie in dem lustigen Spiegelkabinett am Urfahraner Jahrmarkt manchmal in die Länge und dann wieder in die Breite. Nur dass es für mich, im Operationssaal nach Luft ringend, kein bisschen komisch war, wenn die Gestalt eines Arztes, mit irgendwelchem schrecklichen Folterwerkzeug in den Händen, die Wände hochkroch, bis sein Kopf an die Decke stieß und er auf mich hinunterschaute, um dann wieder zusammenzuschrumpfen zu einer winzigen dicklichen Gestalt. Diese ständig ihre Form verändernden vermummten Gestalten unterhielten sich während der gesamten Operation. Ich konnte wegen des Mundschutzes nicht sehen, wer was sagte, aber ich hörte sie reden, wobei sie sich ständig dehnten und wieder zusammenzogen. Eine der vermummten

Gestalten sprach über eine Operation, bei der der Patient, nach einem Autounfall schwer verletzt, gestorben war. Angeblich war er erstickt. Dabei beugte er sich über mich, bis sein Kopf riesengroß über mir war. Ich versuchte ihm mit den Augen zu verstehen zu geben, dass ich keine Luft bekam, aber er verstand mich nicht, sondern fuchtelte nur mit einem Messer vor mir herum. Eine andere Gestalt, die weit weg von mir stand, erwähnte, dass der Tod des Unfallopfers vermeidbar gewesen wäre, wenn man ihm rechtzeitig den Kopf abgeschnitten hätte. Ich geriet in Panik, zerrte an meinen Fesseln und versuchte, die Maske abzuschütteln, was mir aber nicht gelang. Die vermummten Gestalten diskutierten dann, wie man einen Menschen am saubersten köpft, nämlich, indem man die Kehle mit einem so scharfen Operationsmesser durchtrennt, dass der Kehlkopf dabei nicht knirscht. Einer der Diskussionsteilnehmer lachte dabei laut. Da ich etwas Feuchtes, Klebriges an meinem Hals spürte, war ich sicher, dass sie sich bereits anschickten, mich zu köpfen. Dabei rang ich weiter nach Luft. Inzwischen war ich überzeugt, dass ich in Kürze entweder ersticken würde oder keinen Kopf mehr hätte.

Als ich wieder ins Krankenzimmer zurückgebracht wurde, saß Sonja im Bett und aß bereits eine große Portion Erdbeereis, das ihre Mutter mitgebracht hatte. Mir wurde allein von dem Anblick noch schlechter, als mir ohnehin schon war. Auch in den folgenden zwei Tagen hinkte mein Befinden deutlich dem von Sonja nach. Während sie aß, redete und lachte, brachte ich kaum einen Bissen meinen schmerzenden Hals hinunter, wenn ich etwas sagen wollte, kamen nur krächzende Laute aus meinem Mund und zum Lachen war mir überhaupt nicht zumute. Schließlich wurde Sonja am dritten Tag nach der Operation aus dem Krankenhaus entlassen, während ich noch drei weitere Tage bleiben musste. Als Sonjas Mutter mit ihrer Tochter und dem ganzen Spielzeug das Krankenzimmer verließ und sich noch einmal nach mir umdrehte, war ich ganz sicher, dass sie boshaft lächelte.

Damals, ohne Sonja im großen Krankenzimmer liegend, nahm ich mir vor, lieber zu sterben, als noch einmal im Krankenhaus zu landen. Eine soldatische Einstellung. Denn im Krankenhaus hat der Feind leichte Hand. Und zwar in Person des Arztes, aber auch in Gestalt von Krankenschwestern, Besuchern oder Putzfrauen. Während man selbst ans Bett gefesselt liegt, herrscht eine unheimliche Betriebsamkeit von fünf Uhr früh bis zehn Uhr nachts: Fiebermessen, Visiten, Bettenmachen, Vor- oder Nachuntersuchungen, Besuche, Blutdruckmessen, Blumenvasenwasser auswechseln. Man kommt kaum zur Ruhe. Davon abgesehen, ist man im Krankenhaus wehrlos den größten Demütigungen ausgesetzt. Man denke nur einmal an die Krankenhausnachthemden, die hinten durch nichts als zwei Bänder zusammengehalten werden, sodass man, hat man vergessen, einen Bademantel mitzunehmen, praktisch mit nacktem Hinterteil durch die Gänge zur Blutabnahme schleicht. Besucher sind besonders lästig. Sie freuen sich natürlich, dass sie so gesund sind und der Besuchte so krank. Besonders Verwandte können da nerven. Sie unterhalten sich lautstark am Bettrand sitzend über den Kranken hinweg oder essen die Schokolade, die sie mitgebracht haben, selbst auf. Ich glaube, alte Menschen sind besonders betroffen. Man hält ja jeden älteren Menschen gleich für dement. Hört also gar nicht erst hin, was er sagen möchte, sondern gibt ihm sinnlose Ratschläge. Von Aufmunterungen wie »Kopf hoch!«, »Wird schon wieder!«, über Vorwürfen »Ein bisschen mehr Optimismus!«, »Lass dich nicht so gehen!« bis hin zu regelrechten Anweisungen wie »Turnübungen im Krankenbett!«, »Zwanzigmal im Gang auf und ab!«, »Treppensteigen statt Liftfahren!«. Der alte Mensch, der sogar zum Essen zu erschöpft ist, soll dazu herhalten, das Bild der Jüngeren (und da zählt jeder Tag) von einem disziplinierten Alter zu erfüllen. Und hat er das alles satt und will in Ruhe sterben, dann eilen Ärzte und Schwestern mit Defibrillatoren heran und beleben ihn wieder.

Ab meinem siebten Lebensjahr dachte ich viel an den Tod. An einen plötzlichen Hirntod durch Überanstrengung, an einen Tod durch Ertrinken oder Ersticken. Meiner Mutter zufolge konnte all das leicht passieren: Durch zu viel Radfahren in der Mittagshitze im Sommer, beim Schwimmen mit vollem Bauch, wenn man von einem Ball in den Magen getroffen wurde. Man konnte auch an einer Wurst ersticken. Das wäre mir einmal wirklich fast passiert. Da spielte ich noch regelmäßig mit Sonja. Ihre Mutter hatte uns ein Speckbrot zubereitet, in mundgerechte Stücke geschnitten, als meine Mutter, die gerade vom Einkaufen gekommen war, läutete, um mich abzuholen. Ich stopfte schnell das letzte Stück Brot mit dem wunderbaren Speck in den Mund, den die Mutter von Sonja von irgendwelchen Patienten aus dem Mühlviertel geschenkt bekommen hatte. Der Speck blieb mir im Rachen stecken. Besser gesagt, ein Teil des Specks, während der andere Teil bereits tief in der Speiseröhre angelangt war. Zuerst hustete ich nur, Sonja und ihre Mutter klopften mir fest auf den Rücken, während meine Mutter die Wohnung betrat und »O Gott! O Gott!« rief. Das Klopfen auf den Rücken half nichts. Ich hustete immer stärker, meine Mutter jammerte immer lauter und die Mutter von Sonja klopfte immer fester. Meine Mutter wurde blass und setzte sich in einen Fauteuil. Ich würgte, bekam keine Luft mehr und war bestimmt schon ganz blau im Gesicht, als die Mutter von Sonja mir schließlich in den Mund fasste und den Speck herauszog. »Gott sei Dank!«, sagte meine Mutter, und trank das Glas Wasser, das ihr die Mutter von Sonja für mich reichte, auf einen Zug aus. »Stell dir vor, du wärst erstickt.«

Ich stellte mir aber nie vor, wie ich erstickte oder ertrank oder tot umfiel. Ich stellte mir immer nur vor, was die anderen dabei empfinden würden. Es ging mir darum, meine Eltern, manchmal auch meine Lehrerin oder die dicke Kassiererin vom Kolczak oder den Vater von Sungard und Frank bitterlich für ihre Ungerechtigkeiten zu bestrafen. Durch meinen Tod erst würden sie einsehen, was sie mir alles angetan hatten. Sie würden ihre Taten bereuen, aber nichts mehr gutmachen können, weil ich ja tot war. So würden sie an meinem Grab stehen, tränenüberströmt, voller Reue, auf ewig schuldig. Es war eine sehr schöne Vorstellung. So schön, dass ich die Situation in meiner Vorstellung noch steigerte. Ich ertrank oder erstickte mit der Zeit nicht zufällig, sondern absichtlich. Das erhöhte die Schuld für meine Umwelt. Ich war beleidigt oder ungerecht behandelt worden und warf mich unmittelbar danach vor den Zug am Linzer Hauptbahnhof. Alle, die auf meinen vollkommen zerquetschten Körper herabsahen, waren entsetzt. Sie verständigten die Rettung. Die Sanitäter und der Notarzt, die bald darauf mit ihren roten Rettungstaschen herbeistürmten, erkannten sofort, dass in diesem Falle nichts mehr zu tun war. Sie schüttelten fassungslos ihre Köpfe und verständigten die Polizei. Selbst die Polizeibeamten hatten Tränen in den Augen, als sie sahen, wie ein so junger Mensch zerquetscht auf den Geleisen klebte. Alle gingen von einem schrecklichen Unfall aus. Die Polizei verständigte meine Eltern. Die Szene, wie sich meine Eltern langsam dem vermeintlichen Unfallort näherten, malte ich mir besonders ausführlich aus. Meine Mutter hatte sich bei meinem Vater untergehakt, beide torkelten den Bahnsteig entlang. Meinen Eltern war sofort klar, dass es sich um keinen Unfall gehandelt hatte, sondern dass ich mich aus Verzweiflung darüber, dass sie mir verboten hatten, mit Edda auf den Urfahraner Jahrmarkt zu gehen, vor den Zug geworfen hatte. Meine Mutter schluchzte ununterbrochen, und mein Vater senkte den Kopf: »Wir hätten ihr nicht verbieten sollen, auf den Urfahraner Jahrmarkt zu gehen«, flüsterte er meiner Mutter zu, die heftig nickte. Aber nun war es zu spät für ihre Reue. Ich war unwiderruflich zerquetscht.

In der Schule sprang ich vom Schuldach. Die Lehrerin, die blonde Kinder bevorzugte, hatte mir ein Nichtgenügend auf meine Rechenübung gegeben. Obwohl ich nachdrücklich darauf hinwies, dass ich mich nicht verrechnet, sondern nur verschrieben hatte, als ich drei mal acht ist dreißig und zwanzig weniger sieben ist siebenundzwanzig schrieb, beharrte sie auf dem Nichtgenügend. Als ich vor Empörung zu heulen begann, sagte sie: »Was uns nicht umbringt, macht uns nur härter.« Jutta Hoffmann, die dichte, blonde Haare hatte, bekam trotz vier Fehlern noch ein Genügend. Als ich verkrümmt auf dem Schulhof lag, bereute die Lehrerin diese Ungerechtigkeit natürlich. Zumal der Schuldirektor sie zur Schnecke machte. In diesem Fall stellte ich mir gar nicht vor, wie meine Eltern in die Schule kämen und ihr Vorwürfe machen würden, sondern ich konzentrierte mich ganz auf die Lehrerin, die ein zerknittertes Gesicht hatte und immer dunkelblaue, knielange Röcke und weiße Blusen trug. Sie brach vor dem Direktor zusammen und flehte ihn an, sie nicht zu entlassen.

Umsonst. Sie wurde mit Schande von der Schule verwiesen, und ich bekam ein feierliches Schulbegräbnis. Der Direktor selbst schickte einen riesigen Kranz mit weißen Lilien und einer goldenen Schleife, auf der stand: »Für die Schülerin Margit, die ungerecht behandelt wurde«. Auch der Vater von Sungard und Frank und die Kassiererin vom Kolczak wurden angesichts dessen, dass sie mich mit ihren Ungerechtigkeiten in den Tod getrieben hatten, entlassen und fristeten von da an ein kümmerliches Leben. Diese wunderbaren Vorstellungen, meistens nachts im Bett, wenn ich trotz langen Rosenkranzbetens für die armen Seelen im Fegefeuer nicht einschlafen konnte, fanden ihr Ende, nachdem ich meinen Hund erfunden hatte.

Kein noch so schrecklicher Tod konnte meine Eltern davon überzeugen, dass ich dringend ein Haustier brauchte. Was daran lag, dass ich mir meinen Selbstmord ja nur vorstellte und ihn nicht wirklich ausübte. Hätte ich ihn aber wirklich ausgeübt, wäre ich ja tot, und hätte in der Folge auch keinen Hund bekommen können. Ein unlösbares Problem. Hungerstreiks, die ich tatsächlich ausführte, hatten ebenfalls keine Wirkung, weil ich nach kürzester Zeit Hunger bekam und essen musste, sodass niemandem auffiel, dass ich überhaupt in Hungerstreik getreten war. Subtilere Methoden wie seufzen, weinen, täglich einen Hund zeichnen und das Blatt meinen Eltern auf den Schlafzimmerpolster legen, zielten auch ins Leere. Erpressungsversuche ebenfalls: »Wenn ich einen Hund bekomme, putze ich mir jeden Abend freiwillig die Zähne.« Antwort: »Das tust du so auch!«

Die sechziger Jahre waren überhaupt eine merkwürdige Zeit. Einerseits Verschwendungssucht bei Küchengeräten, andrerseits Knausrigkeit bei Gefühlen. Besonders Kindern gegenüber. Da wurde mit einer Rohheit vorgegangen, die heute unvorstellbar ist. Ängste vor Prüfungen oder Wünsche nach einem Haustier wurden einfach ignoriert. Heute gibt es die entgegengesetzte Tendenz. Man denke nur an die Rasenmäher- oder gar an die Helikoptereltern, von denen man überall in den Zeitungen lesen kann. Heute steht man zu seinen Gefühlen und denen seiner Kinder und will zurück zur Natur.

1961 wechselten deutsche Männer im Durchschnitt ein Mal pro Woche die Unterhose, Frauen alle fünf Tage. Ihr Hemd wechselten die Männer im Durchschnitt ebenfalls ein Mal pro Woche. Fünfzehn Prozent nur alle zwei Wochen. Es muss in den Haushalten ganz schön gemieft haben. Mir ist als Kind nichts aufgefallen. Vielleicht hat es daran gelegen, dass wir relativ früh eine Waschmaschine hatten und dass sich mit den Waschmaschinen die Zeitspanne verknappte, in der eine Familie Unterwäsche und Hemden wechselte. Ich weiß noch genau, wie meine Mutter die erste Waschmaschine bekam. Das Gerät wurde geliefert, angeschlossen, und dann standen wir alle herum und beobachteten, wie die Trommel sich drehte und die Wäschestücke herumwirbelte. Ich glaube, meine Mutter hatte Tränen in den

Augen. Heute kann man damit höchstens noch Katzen beeindrucken, die vor dem gläsernen Bullauge stehen und versuchen, mit ihren Krallen einzelne vorbeiwirbelnde Wäschestücke aufzuhalten. Naturgemäß gab es anfangs einige Pannen. Mein Lieblingspullover kam eines Tages auf die Größe eines Puppenpullovers geschrumpft aus der Waschmaschine heraus, und das weiße Theaterhemd meines Vaters war nach einer anderen Wäsche rosa. So weit, so klar. Unklar war nur, was man nun eigentlich erzählen durfte und was nicht. Dass wir eine Waschmaschine hatten zum Beispiel, durfte erzählt werden. Das mit meinem geschrumpften Lieblingspullover nicht. Das geht niemanden etwas an, sagte meine Mutter. Es ging auch niemanden etwas an, dass das weiße Theaterhemd meines Vaters rosa verfärbt war. Andrerseits schien es alle etwas anzugehen, dass meine Mutter Backpulver unter das Waschmittel mischte, wenn sie weiße Gardinen wusch. Das erzählte sie jeder Nachbarin, der sie begegnete. Auch wenn wir gerade noch die Straßenbahn erwischten, sagte meine Mutter in der Straßenbahn: »Mensch, sind wir gerade gelaufen.« Ich hatte nie den Eindruck, dass andere Menschen in der Straßenbahn daran sonderlich interessiert waren. Oft schämte ich mich sogar für meine Mutter, wenn sie bei Kolczak aller Welt mitteilte, dass ihre Nase juckte. Wenn ich aber jemandem von so sensationellen Ereignissen erzählte, dass etwa unser Schnellkochtopf explodiert war, sperrte sich meine Mutter im Badezimmer ein und heulte. Na gut, der Schnellkochtopf war nicht direkt explodiert, aber der Deckel war in die Höhe geschossen und mit ihm das Kartoffelgulasch, das dann an der Decke klebte. Es war mir ein Rätsel, wieso meine Mutter heulte, weil ich das unserer Nachbarin erzählt hatte. Wenn mein Vater geheult hätte, hätte ich das noch verstanden. Er hatte schließlich das Essen vom Plafond geschabt, die Küchendecke gesäubert und sie dann neu gestrichen. Meine Mutter behauptete hinterher, die Frau Lindner hätte sie süffisant angelächelt, nachdem ich ihr das mit dem Schnellkochtopf erzählt hatte. Ich hatte keine Ahnung, was süffisant bedeutete. Kein Mensch im Hof konnte mir das erklären, nicht einmal Edda, die sonst alles wusste. Schließlich schaute ich im Konversationslexikon meines Vaters nach. Dort stand: »Süffisance, jene Selbstgefälligkeit, die, sich stets selbst genug, selten anderen genügt – ein Egoismus, der sich selbst zum Spiegelbilde einer wonniglichen Betrachtung macht, ein geistiger Narziß, der sich selig vertieft in dem Anschauen seiner eigenen Gestalt.« Danach verstand ich noch weniger. Wieso hatte Frau Lindner, selig vertieft in dem Anschauen ihrer eigenen Gestalt, lächeln sollen, weil unser Schnellkochtopf explodiert war? Rätsel über Rätsel! Dass meine Tante Maria, die Mutter von Nils, im Ruhrgebiet beim Greisler – in Deutschland heute: Tante-Emma-Laden – anschreiben ließ, war auch so eine Sache, die niemanden etwas anging. Offenbar nicht einmal die Tante Maria selbst.

Mit dem ersten Staubsauger war Schluss mit dem

Teppichklopfen auf der Teppichstange im Hinterhof. Das Gerät war größer als die heutigen Staubsauger, länglich, braun mit einem langen Kabel, über das meine Mutter anfangs öfter stolperte. Sie war überhaupt, was die neuen Geräte anging, eher ungeschickt. Mein Vater musste den Staubsauger anfangs persönlich einstecken und einschalten, weil sich meine Mutter vor Steckdosen und überhaupt vor elektrischen Geräten fürchtete. Sie wechselte nicht einmal Glühbirnen aus. »Ich steige doch nicht auf eine Leiter und elektrisiere mich dann auch noch«, sagte sie. Überhaupt musste mein Vater alles Elektrische und alles Handwerkliche erledigen.

Nur mit ihrer elektrischen Trockenhaube hantierte sie unbekümmert. Die Trockenhaube war im obersten Fach des Kleiderschranks in meinem Kinderzimmer untergebracht. Und zwar in zwei Teilen. Meine Mutter kletterte ohne Bedenken auf meinen Schreibtischsessel, der, ehrlich gesagt, nicht der stabilste war, zerrte die beiden gewaltigen Teile – die Trockenhaube selbst und das meterhohe zusammenschiebbare Stativ – aus dem obersten Fach des Kleiderschrankes und balancierte damit den Schreibtischsessel wieder hinunter. Dann schleppte sie die beiden Teile in das sogenannte Kabinett, wo sie die Trockenhaube dann ganz allein zusammenschraubte. Ich hätte ihr das nie zugetraut. Auch dass sie den Stecker selbst einsteckte und sich dann auch noch mit nassen Haaren unter die Trockenhaube setzte, war erstaunlich. Ich glaube, meine Mutter liebte ihre Trockenhaube. Sie las im Kabinett unter der Trockenhaube Frauenzeitschriften. Oft bereitete sie sich vorher noch einen Kaffee zu, den sie dann unter der Trockenhaube sitzend trank. Oder sie feilte und lackierte ihre Fingernägel unter der Trockenhaube. Ich mochte es, wenn meine Mutter sich unter ihre Trockenhaube setzte. Sie war dann ganz in sich versunken, kümmerte sich nicht um mich und war hinterher immer gut gelaunt.

Ich weiß nicht, ob meine Mutter an jedem ersten April vormittags unter der Trockenhaube saß. Am ersten April war sie jedenfalls immer gut aufgelegt. Sie schickte wahnsinnig gerne andere in den April. Einmal behauptete sie meinem Vater gegenüber, jemand von den Elektrizitätswerken hätte angerufen und gesagt, wir müssten wegen Überspannung sämtliche Glühbirnen mit mehr als dreißig Watt in der Wohnung austauschen. Mein Vater tauschte sämtliche Glühbirnen aus und als er endlich damit fertig war, lachte sie und sagte: April, April. Mein Vater fand das gar nicht besonders lustig. Ich weiß noch, dass ich die Idee mit der Überspannung aber genial fand und mich wunderte, woher meine Mutter solche Dinge wusste. Den ganzen Abend mussten wir lachen, wenn wir uns anschauten. Mein Vater wurde immer grantiger. Aber je grantiger er wurde, desto mehr mussten wir lachen. Meine Tante Jetti rief sie auch einmal am 1. April an und gab sich als Telefontechniker aus. Sie sagte zu meiner Tante Jetti, dass ihr Telefon gestört sei und sie ein paarmal kräftig in den Hörer pusten sollte. Was meine Tante Jetti tat.

Ich stand neben meiner Mutter und hörte, wie sie pustete. Meine Mutter sagte, sie solle noch ein bisschen kräftiger pusten. Ich konnte mich beinahe nicht auf den Beinen halten vor Lachen und presste einen Schal vor meinen Mund. Schließlich konnten wir uns beide nicht mehr beherrschen und lachten laut und die Tante Jetti merkte, dass es sich um einen Aprilscherz handelte. Einmal hätte mein Vater am 1. April sogar beinahe meine Mutter verlassen und wäre aus unserer Wohnung ausgezogen. Meine Mutter und ich hatten nämlich ausgemacht, dass ich in der Früh in ihr Schlafzimmer kommen würde, meinen Vater aufwecken und behaupten würde, die Tafel, an der ich meine Puppen unterrichtete, wäre von der Wand gefallen. Ich war total aufgeregt und konnte nicht schlafen. Irgendwann stürmte ich ins Schlafzimmer meiner Eltern und weckte meinen Vater mit der Schreckensnachricht, meine Tafel sei von der Wand gekracht. Mein Vater sprang auf und lief in mein Zimmer. Meine Mutter kam hinterher und wir riefen beide: »April, April!« Da schaute mein Vater auf die Uhr und stellte fest, dass es drei Uhr morgens war. Weil er täglich um sechs Uhr aufstehen musste und fürchtete, nicht mehr schlafen zu können, war er total wütend. Aber meine Mutter und ich konnte nicht aufhören zu lachen. Da packte er seine Bettwäsche und schaffte sie ins Wohnzimmer. Ich war inzwischen hundemüde vom vielen Lachen und ging ins Bett, wo ich auf der Stelle einschlief. Am nächsten Tag erzählte mir meine Mutter, dass mein Vater noch in der Nacht hatte ausziehen wollen. Sie hatte ihn bis sechs Uhr morgens überreden müssen, doch daheim zu bleiben.

Später haben wir noch viele elektrische und technische Geräte bekommen. Die meisten beschaffte mein Vater, der stets auf dem letzten Stand der Technik sein wollte. Was er für seine Werkstatt alles gekauft hat, weiß ich nicht. Ich weiß nur, dass er oft, wenn er aus dem Keller kam, sagte, es sei unvorstellbar, mit welchen primitiven Mitteln er früher getischlert habe. Ich weiß aber genau, dass wir die erste Brotschneidemaschine in der ganzen Siedlung hatten, einen der ersten Diaprojektoren und auch den ersten Dia-Guckkasten, was für uns eine große Erleichterung war, da mein Vater die Dias immer falsch herum in den Projektor eingelegt hatte und sich infolgedessen ein sogenannter Dia-Abend mit Projektor endlos in die Länge ziehen konnte. Wir hatten auch sehr früh einen Kassettenrekorder, eine Wetterstation mit Barometer, Thermometer und Luftfeuchtigkeitsmesser und sogar einen Weltempfänger, der allerdings immer rauschte. Wenn eine technische Verbesserung eines Gerätes auf den Markt kam, kaufte es mein Vater sofort. Eigentlich so ähnlich wie Bruno, der nie einfach nur eine Taschenlampe kauft, sondern stets eine Taschenlampe, die außerdem Signale von sich gibt oder zumindest blinkt. Kauft er ein Fernrohr, hat es einen Kompass eingebaut. Im Auto haben wir sogar zwei Navigationsgeräte. Produktvergleich, sagt Bruno. Unsere Küche hat er selbstverständlich mit allem ausgestattet, was eine moderne Küche so braucht: Elektroherd und Gasherd, Mikrowelle und Dampfgarer, Kühlschrank und Kühltruhe (im Keller), Allroundmixer und Häckselmaschine für Zwiebel, Fleisch und Nüsse, und vieles andere. Allerdings ist Bruno nie so weit gegangen wie die zweite Frau meines Cousins Nils in Essen, die er erst vor drei Jahren geheiratet hat. Die zweite Frau meines Cousins Nils ist eine noch größere Anhängerin technischer Haushaltsgeräte als Bruno. Jedes Mal, wenn wir meinen Cousin und seine zweite Frau in Essen besuchen, hat sie wieder ein neues, praktisches Stück erworben. Sie hat ein Küchengerät, das, füllt man alle Zutaten ein, selbstständig Kuchen bäckt oder Sauerbraten herstellt. Sie hat auch einen Putzroboter, der aber nicht nur wie unserer im Waldviertel saugt, sondern auch wischt. Außerdem ein Gerät namens Alexa, die neueste, bessere Ausführung heißt Echo. Echo muss man zuerst laut ansprechen, bis es sich meldet. Dann ist Echo bereit, Fragen aller Art zu beantworten und auch gewünschte Musikstücke zu spielen.

Zu Kunst hatte man in den sechziger Jahren ein distanzierteres Verhältnis als zur Technik. Gut, einige Männer spielten damals Gitarre oder Ziehharmonika oder Zither, wie der Herr Huber über uns, der aber im Stiegenhaus üben musste, weil seine Frau das Zitherüben in der Wohnung nicht ertrug. Manche Frauen und Mädchen spielten Blockflöte, aber das muss ja noch nicht Kunst sein. Gelesen wurde jedenfalls wenig, denn das galt als Müßiggang. Kindern sagte man, es verderbe die Augen. In Museen ging man so gut wie gar nicht.

In dieser Beziehung waren meine Eltern eine Ausnahme. Mein Vater hatte ein Bücherregal mit mindestens dreißig Büchern im Kabinett, hörte im Radio Wagner oder Bruckner und las meiner Mutter, bevor ich geboren wurde, angeblich Stifter vor, während sie bügelte. Meine Eltern hatten sogar ein Theater-Opern- und Konzertabonnement. Das war in den sechziger Jahren nicht selbstverständlich. Niemand von meinen Freundinnen hatte Eltern, die Theater oder Konzerte besuchten. Nicht, dass sie mich jemals dorthin mitgenommen hätten. Kinder nahm man damals schon gar nicht ins Theater mit. Ich musste zu Hause bleiben. Aber meine sogenannte Cousine Lotte, die Tochter aus erster Ehe meines sogenannten Onkels Kurt nahmen sie mit. Lotte war damals schon alt. Bestimmt über zwanzig. Sie kam mit einem echten Motorrad aus Sierning, wo sie anfangs noch bei Onkel Kurt und seiner zweiten Frau lebte. Nachdem der Freund ihrer Halbschwester eingezogen und mit der Zeit alles umgestaltet hatte, ist sie ausgezogen, auch weil seine zweite Frau ständig mit ihrer und ihres Vaters gemeinsamer Tochter stritt, und das war Lotte mit der Zeit zu stressig. Sie ist dann nach Hinterstoder gezogen, wo meine Eltern sie einmal überraschend besuchten. Als sie nachmittags bei Lotte läuteten, öffnete diese die Tür im Morgenmantel. Im Hintergrund huschte ein fast vollständig nackter, muskelbepackter und tätowierter Mann vorbei. Meine Mutter war am Abend noch ganz außer sich, als sie meiner Tante Jetti am Telefon davon erzählte. Die Lotte war nämlich nicht verheiratet, und meine Mutter wäre deshalb angeblich gar nicht auf die Idee gekommen, dass Lotte Männerbesuch haben könnte. Es sei furchtbar peinlich gewesen, sagte meine Mutter am Telefon zu meiner Tante Jetti, besonders, weil der muskelbepackte Mann total primitiv gewesen sei. In welcher Hinsicht, sagte meine Mutter nicht. Ich war damals sicher, meine angebliche Cousine Lotte hätte einen Matrosen zum Freund gehabt, der alle Weltmeere kannte. Allein die Tätowierung sprach dafür. Mir imponierte das. Ich hatte in meiner Kindheit eine vorübergehende Phase, in der ich alles, was mit Schiffen, Matrosen und Hamburg zusammenhing, spannend fand. Der Bruder Gabis, meiner Banknachbarin in der Schule, der ein paar Jahre älter war als wir, tauschte in der Phase zwei Singles von den Beatles, die damals gerade im Kommen waren und die ich von meinem Onkel Hermann in Essen geschenkt bekommen hatte, gegen einen Freddy Quinn ein. Auf der Vorderseite war »Junge, komm bald wieder« und auf der Rückseite »Fährt ein weißes Schiff nach Hongkong …« Glaube ich. Später habe ich mich über den schlechten Tausch sehr geärgert. Aber egal. Lotte kam in Ledermontur mit dem Motorrad. Allein deshalb hätte ich sie schon geliebt. Sie kam aber außerdem jedes Mal mit einer großen Schachtel Marzipan. Aber nicht einfache weiße Rollen, wie sie mein Vater am ersten jeden Monats meiner Mutter und mir neben Nougatschokolade, Katzenzungen und gezuckerter Kondensmilch in Dosen mitbrachte, an denen meine Mutter und ich dann nach dem Abendessen nuckelten, sondern buntes Marzipan in Form von Rosen, Bambis, Maikäfern, Märchenfiguren und so weiter. Einmal war sogar eine Marzipanprinzessin dabei. Lotte zog sich bei uns im Badezimmer um, das Kleid fürs Theater hatte sie in einer Art Seesack dabei, wir aßen alle zusammen ein paar Lachsbrote – die gab es sonst nur zu Weihnachten oder zum Geburtstag –, meine Eltern erzählten Lotte, worum es in dem Theaterstück oder der Oper, die sie besuchen würden, ging, dann brachten sie mich alle drei ins Bett, drehten das Licht aus und brachen ins Theater auf. Kaum hatten meine Eltern und Lotte die Wohnung verlassen, knipste ich das Licht wieder an und stellte die Schachtel mit den Marzipanfiguren neben mein Bett im Kinderzimmer. Ich weiß nicht, ob meinen Eltern klar war, welche Angst ich hatte, nachts allein in der Wohnung zu sein. Die Marzipanfiguren waren der Ausgleich: Auf der einen Seite die Angst, auf der anderen Seite das Marzipan. Das Marzipan siegte. Ich hielt mich an einen strikten Zeitplan. Eine halbe Stunde, nachdem meine Eltern und Lotte um Punkt sieben Uhr abends die Wohnung verlassen hatten, mussten sie im Theater angekommen sein. Ich biss dem Rehkitz den Kopf ab. Von der Aufführung des Weihnachtsmärchens, das ich jedes Jahr besuchen durfte, wusste ich, wie das Landestheater aussah. Nämlich prächtig. Ein riesiges Foyer mit Eingangstüren zu dem Theatersaal, über denen goldene Schilder angebracht waren, auf denen »Parterre links« und »Parterre rechts« stand. Rechts und links vom Foyer führten breite, geschwungene Steintreppen, in deren Mitte jeweils ein roter Teppich mit goldenen Nägeln befestigt war, in den ersten Stock. Zumindest hatte ich es so in Erinnerung. Im ersten Stock gab es noch einmal ein Foyer, wo es in der Pause auch Getränke und kleine Happen zu essen gab, die allerdings furchtbar teuer waren. Auf den Schildern über den Eingangstüren zum Theatersaal stand hier »Erster Rang links« beziehungsweise »Erster Rang rechts«. Was in dem Zusammenhang ein Rang war, wusste ich nicht. Von da aus hatten wir beim Weihnachtsmärchen jedenfalls den Saal betreten. Das erste Mal hatte ich die Augen schließen müssen, so geblendet war ich in jeder Hinsicht. Überall im Theatersaal hingen riesige Kristalllüster, die nur so funkelten. Die Stühle im Saal waren mit rotem Samt überzogen. Im Hintergrund waren grelle Lichtspots aufgeschaltet, sodass man jede einzelne Falte des gewaltigen Theatervorhangs, ebenfalls aus rotem Samt, sehen konnte. Sieben Uhr fünfundvierzig. Meine Eltern und Lotte waren gerade im Foyer des ersten Stockes angelangt. Mein Vater hatte bereits die Theaterkarten gezückt und meine Mutter und Lotte gingen noch schnell auf die Toilette. Ich biss dem Rehkitz die Vorderbeine ab. Acht Uhr! Der dritte Gong ertönte und der rote Samtvorhang öffnete sich. Das war die erste Krise. Ab jetzt waren meine Eltern und Lotte so sehr mit dem Geschehen auf der Bühne beschäftigt, dass unsere Wohnung abbrennen, Einbrecher alles ausrauben, ich einer tödlichen Krankheit anheimfallen oder Bomben auf das Dach fallen konnten, und es wäre ihnen egal gewesen. Ich aß den Torso des Rehkitzes mitsamt seinen Hinterbeinen auf. Jetzt galt es, mich ganz auf die Handlung des Stückes zu konzentrieren, über die meine Eltern Lotte beim Abendessen aufgeklärt hatten. Ich erinnere mich besonders an *Così fan tutte*. Besuchten sie eine Oper, las mein Vater Lotte die Handlung aus dem Opernführer vor. Damals gab es ja noch keine Bildschirme vor jedem Theatersitz, auf denen die übersetzten Texte eingeblendet werden. Informierte man sich vorher nicht über den Inhalt, verstand man so gut wie nichts. Oft auch trotz der Inhaltsangabe. Sagte meine Mutter. Die Handlung von *Così fan tutte* war dermaßen krude, dass ich ganz auf meine Fantasie angewiesen war. Alles an dieser Oper war mir ein Rätsel. Aber was hilft es? Nur ständige Beschäftigung aller Sinne vertreibt die Angst. Und natürlich Marzipan. Der Maikäfer war mit zwei Bissen aufgegessen. Nun ging es darum, sich mit aller Kraft auf drei Offiziere zu konzentrieren, von denen der ältere – und deshalb weisere, hatte mein Vater aus dem Opernführer vorgelesen – den beiden jüngeren einreden will, dass die Liebe der Frauen wankelmütig ist. Was bedeutet eigentlich wankelmütig? Mut ist auf jeden Fall enthalten, aber der wankelt. Wackelt? Okay. Die beiden jüngeren Offiziere glauben felsenfest an die Treue ihrer Freundinnen. Auch okay. Der ältere, weise Offizier schlägt eine Wette vor. Auch noch okay. Aber dann beginnt der Wahnsinn. Die beiden jüngeren Offiziere geben vor, in den Krieg ziehen zu müssen, und kommen kurz danach verkleidet als Albaner zu den beiden Frauen zurück. Da war schon die Frage: Wie schaut ein Albaner aus? Schaut ein Albaner so vollkommen anders aus als ein Nicht-Albaner? Um was für Landsleute handelte es sich überhaupt? Die Namen hatte ich alle vergessen. Österreicher waren es jedenfalls nicht, die Namen hätte ich mir gemerkt. Ich war der Meinung, dass die verkleideten Offiziere ganz leicht wiederzuerkennen gewesen sein müssten. Ich erkannte ja sogar Sonja wieder, wenn sie sich im Fasching als Neger verkleidete, und da war sie ganz schwarz im Gesicht. Die beiden blöden Zicken in *Così fan tutte* erkannten ihre Freunde jedoch nicht wieder. Ich kramte in der Marzipanschachtel. Sagen wir mal, an der Stelle aß ich eine halbe rote Marzipanrose. Die blöden Zicken, die ihre eigenen Freunde nicht wiedererkannten, blieben aber zunächst standhaft und sangen viel über den Verlust ihrer Männer. »Qualen und herber Schmerz«, hatte mein Vater aus dem Opernführer vorgelesen, war angeblich eine der schönsten, inhaltlich meiner Meinung nach aber völlig übertriebenen Arien. Wie man schon aus dem Titel erkennen konnte. Arien waren übrigens so etwas wie die Highlights einer Oper. Das hatte mein Vater Lotte erklärt, die vorher noch nie in einer Oper gewesen war. Was die sonst in so einer Oper taten, wusste ich nicht. Angeblich durften die Darsteller während einer Oper nicht sprechen. Nur singen. Ich stellte mir vor, sie brabbelten endlos zwischen den Arien melodisch vor sich hin. Denn wieso sonst hätte eine so schlichte Handlung so lange dauern können? Immerhin hatten meine Eltern angekündigt, erst um zwölf Uhr nachts wieder zu Hause zu sein. Wenn die Oper drei Stunden dauerte, rechnete ich mir aus, war um halb zehn Uhr Pause. Wieder so eine Krisensituation für mich. Ein riesiges Stück Marzipan musste her. Sagen wir mal: Schneewittchen. Wieso knarrte der Boden im Vorzimmer? Und was waren das für Geräusche in der Küche? Wahrscheinlich brummte der Kühlschrank. Meine Eltern hatten von außen die Tür zugesperrt. Wenn jetzt ein Einbrecher in unserer Wohnung herumschlich, konnte ich nicht einmal wegrennen. Ich überlegte, ob ich im Notfall aus meinem Fenster springen konnte, ohne mir das Genick zu brechen. Ich entschied, es müsste möglich sein, und stärkte mich mit einem halben Zwerg, während meine Eltern im Landestheater sicherlich gerade das sauteure Glas Pausensekt tranken. Für den zweiten Teil der Oper – Akt hieß das, hatte mein Vater gesagt –, musste ich besonders stark sein. Die zwei blöden Puten heirateten nämlich am Ende des zweiten Aktes tatsächlich die Albaner, ohne zu ahnen, dass es ihre verkleideten Freunde waren. Okay, das hätte schnell gehen können und meine Eltern und die Lotte wären flugs wieder zu Hause gewesen. Aber nein. Das Ganze zog sich über noch einmal eineinhalb Stunden hin. Die Albaner arbeiteten mit allen Tricks, um die Mädels rumzukriegen. Führten sich auf wie läufige Hunde, drohten mit Selbstmord und so weiter. Es kostete mich alle Kraft, zumal ich langsam richtig müde wurde, mir den Unsinn möglichst schön auszumalen. Die sieben Zwerge von Schneewittchen waren in kürzester Zeit aufgegessen, während ich mir wenigstens den Palast, in dem die beiden Zicken sicherlich wohnten, möglichst prächtig vorstellte. Goldene Vorhänge, rote Teppiche, Samt und Seide. Schließlich aß ich das letzte Stück Marzipan, wahrscheinlich die Prinzessin selbst, auf, knipste das Licht aus und stellte mich schlafend. Als meine Eltern Punkt Mitternacht von ihrem Opernbesuch zurückkamen und leise in mein Zimmer schlichen, um zu schauen, ob ich auch schliefe, waren sie ganz gerührt: »Schau«, sagte meine Mutter zu meinem Vater, »wie tief sie schläft.« »Ja«, sagte mein Vater, »sie ist ein mutiges Kind und bleibt nachts ganz alleine in der Wohnung.« Lotte brauste inzwischen sicherlich bereits mit ihrem Motorrad zurück nach Sierning.

Später nahm ich an, dass meine Eltern sehr wohl gewusst hatten, dass ich nachts allein in der Wohnung Angst hatte. Aber entweder sie wollten sich davon nicht ihre Theaterabende vergällen lassen oder sie schämten sich, weil ich allein Angst hatte. Damals hatte man keine Angst zu haben. Um uns Kinder die Angstlosigkeit schmackhaft zu machen, sagten sie: Ein Indianer hat keine Angst! Wahrscheinlich war alles von ihnen inszeniert. Auch das mit dem Marzipan. Andernfalls hätten sie sich doch wundern müssen, dass ich jedes Mal eine große Schachtel mit Marzipanfiguren aufgegessen hatte, wenn sie heimkamen. Höchstwahrscheinlich hatten meine Eltern selbst das Marzipan gekauft und es

Lotte gegeben, damit sie es dann mir gab. Sie hatten mit Garantie gewusst, dass so prächtige Marzipanfiguren noch den letzten Angsthasen verlocken würden, nachts allein zu bleiben, und dass er (also ich) nach ihrer Rückkehr sogar vortäuschen würde, tief zu schlafen, damit sie kein schlechtes Gewissen haben mussten, dass sie sich im Theater soundso gut amüsiert hatten, während ich mich zu Hause alleine zu Tode fürchtete. Kein Kind aus der ganzen Siedlung hatte in meinem Alter je so etwas Edles wie Marzipanfiguren zu naschen bekommen. Die meisten kannten nicht einmal Marzipan. Aber es war auch kein einziges Kind in der Nachbarschaft in meinem Alter in der Nacht allein gelassen worden. Damit es nicht wie Bestechung aussah, taten meine Eltern so, als könnte meine Cousine Lotte sich so etwas leisten. Woher kam eigentlich überhaupt diese Angst vor dem Alleinsein? Hatten alle Kinder Angst oder nur ich? Bei meinem Cousin Nils konnte ich es ja verstehen, er war in seinem Bett vollkommen eingegipst gewesen. Aber ich? Ich hätte doch nur an die Wand zur Nachbarwohnung klopfen müssen, und jemand wäre herbeigeeilt. Meine Eltern hatten mir immer gesagt, dass Lindners nebenan ständig einen Schlüssel von unserer Wohnung hätten, falls mal etwas sei. Aber was sollte sein? Na ja, sie könnten vergessen haben, das Gas am Herd abzudrehen oder ein Blitz hätte einschlagen können oder es hätte während ihres Theaterbesuchs ein Krieg ausbrechen können und unsere Wohnung hätte bombardiert werden können. Man muss bedenken, dass ich 1953, also nur acht Jahre nach dem Ende des zweiten Weltkrieges geboren bin. Ich hatte in dem Bildband meines Vaters »Der zweite Weltkrieg« Fotos gesehen, auf denen Kinder nach einem Bombenangriff vollkommen verkohlt in ihren Betten lagen. Und dann war da noch meine rätselhafte Angst vor Einbrechern. Weder bei uns noch in der Nachbarschaft war jemals eingebrochen worden. Warum also diese Angst? Ich hatte sie übrigens bis zu meinem dreißigsten Lebensjahr. Mit etwa dreißig zog ich für ein paar Jahre nach Paris, wo tatsächlich ständig irgendwo eingebrochen wurde. Ich wohnte damals in einer winzigen Wohnung mit einer Tür, die jeder mit einem Fußtritt hätte aufbrechen können. Aber genau zu der Zeit war die Angst plötzlich weg.

Eines Tages – ich war zu Kolczak geschickt worden, um irgendetwas einzukaufen – saß ein Dackel auf den Steinplatten am Teich und jaulte. Ich ging zu ihm hin und streichelte ihn. Sofort hörte er zu jaulen auf und schleckte meine Hand ab. Er hatte eine sehr lange raue Zunge. Sein Fell, das eigentlich struppig aussah, war wunderbar weich. Ich setzte mich neben ihn auf die Steinplatte. Er legte sich auf den Rücken und ich streichelte seinen weißen weichen Bauch. Dann kroch er sogar auf meinen Schoß, legte den Kopf an meine Schulter und schaute mich aus dunkelbraunen Knopfaugen an. Wenn ich einen Moment aufhörte, ihn zu streicheln, stupste er mich mit seiner kalten, nassen, schwarzen Nase an. Ich war außer mir. Kann es sein, dass ich bis dahin noch nie einen Hund gestreichelt hatte? Ich hatte ja keine Ahnung gehabt, was für ein samtweiches Wesen so ein Hund war. Sicher ist, dass ich jeden Spaziergänger beobachtet hatte, der seinen Hund an der Leine mit sich führte. Es war zwar immer schon ein Wunsch von mir gewesen, einen Hund zu haben, der mich auf Schritt und Tritt begleitete, aber die Tatsache, dass ein Hund außerdem noch so weich und anschmiegsam war, hatte außerhalb meiner Vorstellung gelegen. Irgendwann stand ich auf, um heimzugehen. Der Hund stand sofort auch auf und folgte mir auf den Fuß. Als ich die Eisenwerkstraße überqueren wollte, jaulte er wieder. Ich hob ihn schließlich hoch und trug ihn über die Straße. Auf der anderen Straßenseite wollte er sich nicht mehr absetzen lassen. Er krallte sich regelrecht an meinem Arm fest, schaute mir wieder unverwandt in die Augen und piepste ein bisschen wie ein Vogel. Also trug ich ihn nach Hause und setzte ihn im Wohnzimmer auf dem Teppich ab. »Das ist mein Hund«, sagte ich zu meiner Mutter, »ich habe ihn gerade gefunden.«

Meine Mutter reagierte wie erwartet, rief ziemlich schrill: »Um Gottes Willen, kommt gar nicht in Frage, so ein haariges Vieh!« Der Dackel pinkelte vor Schreck auf den Teppich. Ich musste ihn, während sie den Teppich reinigte, im Badezimmer auf dem Kachelboden abstellen. Als mein Vater kurz darauf heimkam und meine Mutter ihn sofort ins Badezimmer schickte, sagte er: »Das ist der Hund von der Lackinger, wir müssen sie sofort verständigen.« Was auch geschah. Frau

Lackinger hatte ihren Hund offenbar schon lange gesucht. »Wasti«, rief sie, kaum war sie bei uns angelangt und hatte die Badezimmertür geöffnet, setzte sich auf den Fliesenboden und stülpte sich regelrecht über ihn. Mir kam es so vor, als ob der Dackel zusammenzuckte. Meine Mutter lud Frau Lackinger dann auf einen Kaffee ein und Frau Lackinger, die den Dackel mit festem Griff auf ihren Schoß gesetzt hatte, erzählte bei Kaffee und Kuchen, dass ihr Wasti beim Gassigehen auf einmal losgerannt und trotz ihres ständigen Rufens nicht mehr zurückgekommen sei. Während sie redete, kaute sie an ihrem Stück Kuchen. Sie habe schon gefürchtet, er sei überfahren worden oder ein Hundefänger habe ihn gefangen oder er sei in den Teich gefallen, sagte sie und spuckte ein paar mit Spucke vermischte Kuchenkrümeln über den Tisch. Der Hund sah mir ununterbrochen in die Augen. Ich fühlte mich ihm tief verbunden. Frau Lackinger war so froh, dass ihr Wasti nicht tot oder entführt worden war, dass sie mir zwanzig Schilling Finderlohn gab. Als sie den widerwilligen Wasti, an der roten Leine, die sie mitgebracht hatte, mühsam aus unserer Wohnung zog, stand mein Plan fest, dass Wasti, so wie Lassie im Fernsehen, alle Hindernisse überwinden und zu mir zurückkehren würde. Ich stellte mir vor, dass er noch am selben Abend an unserer Wohnungstür kratzen und ich ihn, bevor meine Mutter etwas bemerkte, in meinem Zimmer unter dem Bett verstecken würde.

Kein Spiel wird einfach so erfunden und wieder beendet. Weder die Spiele der Kinder noch die der Erwachsenen. Spiele haben wie jeder Krieg Konsequenzen. Man gewinnt oder verliert. Meistens verliert man.

Als Erstes änderte ich Wastis Geschlecht und taufte ihn in Bella um. In dieser Nacht erlöste ich niemanden aus dem Fegefeuer. Ich erzählte Bella mit leiser Stimme, dass wir von nun an unzertrennbar seien und dass sie nie mehr zu der spuckenden Frau Lackinger zurückkehren musste. Bella schmatzte vor Vergnügen. Am nächsten Tag kaufte ich am Nachhauseweg von der Schule von den zwanzig Schilling Finderlohn ein weiches Kissen zum Liegen für Bella, Garn für die Strickliesl, aus dem ich eine Leine für Bella herzustellen gedachte, und im Eisenwarengeschäft einen Eisenring und zwei kleine Karabiner, um die Leine später einhaken zu können. Bella begrüßte mich begeistert, als ich wieder nach Hause kam, und ich machte mich sofort an die Arbeit. Meine Mutter wunderte sich nicht wenig, als ich am folgenden Nachmittag stundenlang mit der Strickliesl strickte. Bella saß in meinem Zimmer neben mir und beobachtete gespannt, wie ich oben an der Strickliesl Garn über die Nägel zog, woraufhin unten aus der Strickliesl stückweise ihre bunte Leine hervorquoll. In nur einem Nachmittag und einer Nacht war die Leine fertig. Außer in die Schule nahm ich Bella von da an fast überallhin mit. Damit ich nicht von den Kindern im Hof ausgespottet wurde, weil ich ständig eine Leine ohne Hund mit mir herumtrug – niemand außer mir konnte Bella ja sehen –, band ich die bunte

Leine wie einen Gürtel um meinen Bauch und ließ das Ende mit dem Karabiner einfach hinunterhängen. Es setzte sich schließlich die Meinung durch, es handle sich um die neueste Mode, und die Mädchen im Hof machten sich alle an ihren Strickliesеln zu schaffen. Nachts durfte Bella, sobald meine Eltern schlafen gegangen waren, in meinem Bett liegen. Wir kuschelten uns dann aneinander und erzählten uns Geheimnisse. Bella erzählte mir, dass die alte Lackinger sie immer am Schwanz festgehalten habe, wenn sie ein bisschen habe herumschnüffeln wollen, und ich erzählte Bella die Sache mit den Schwänzen der Männer. Sie war nicht schlecht erstaunt, dass Männer ihre Schwänze vorne tragen, und vertraute mir an, dass sie noch nie in ihrem Leben einen nackten Mann gesehen hatte. Frau Lackinger war unverheiratet. Am nächsten Tag schlug ich im Hof ein Wettpinkeln der Buben vor und so hatte Bella die Chance, auf einen Sitz fünf Bubenschwänze zu sehen. Sie war nicht besonders begeistert und fand die Schwänze mickrig. Sie selbst war nämlich in einen Afghanen verliebt, der einen wunderschönen, langen Schwanz mit seidigen sandfarbenen Haaren hatte. Bella schlief nachts mit ihrem Kopf auf meiner Schulter. Manchmal zuckte sie im Schlaf mit den Beinen und hechelte. Ich streichelte sie dann so lange, bis sie sich wieder beruhigt hatte. Andersherum schleckte sie nachts fein säuberlich mein Gesicht ab, wenn ich im Schlaf gestöhnt hatte. Ich nahm Bella auch in unseren Urlaub in Gabicce Mare mit. Das war gar nicht so leicht. Meine

Mutter war von vornherein sauer gewesen, weil mein Vater ihr Strandliegebett nicht mitnehmen wollte. »Das Auto ist voll genug«, sagte er, »ich muss beim Fahren durch das Rückfenster schauen können.« Als ich im vollgepackten Auto Bellas Liegekissen neben mich auf den Rücksitz stellte, wurde meine Mutter misstrauisch. »Was hast du immer mit diesem Kissen«, fragte sie mich, »überallhin schleppst du es mit? Das Kissen bleibt daheim.«

Ich musste schließlich vortäuschen, das Kissen sei für meinen Teddy gedacht. Eigentlich hatte ich den Teddy nicht in den Urlaub mitnehmen wollen, weil er eifersüchtig auf Bella war und ständig mit ihr stritt. Aber mir blieb nichts anderes übrig. Ich setzte den Teddy an den Rand von Bellas Liegekissen und meine Eltern konnten nichts dagegen sagen, dass ich ein einziges Spielzeug in den Urlaub mitnahm. Bella und ich waren sehr glücklich am Meer. Wir machten lange Ausflüge am Strand entlang. Sie rannte auf das Wasser zu und wenn eine Welle kam, drehte sie um und raste mit fliegenden Ohren davon. Im Sand buddelte sie riesige Löcher. Sie jagte Möwen und biss fremden Kindern, die sich mir näherten, ins Bein. Wenn mir das italienische Essen nicht schmeckte, fütterte ich heimlich Bella damit unter dem Tisch. Den Teddy schleppte ich alibimäßig mit. Er war am Ende des Urlaubs ganz versandet und stank nach totem Fisch.

Meine Eltern lehnten sogar einen erfundenen Hund ab. Anders konnte ich es mir nicht erklären, dass sie sich ständig auf Bella setzten. Kaum saß Bella auf dem kackfarbigen Sofa, setzte sich mein Vater genau auf sie, kaum wechselte sie dann auf den Fernsehstuhl meiner Mutter, ließ diese sich schon rücksichtslos in den Stuhl fallen. Mein Vater aß vor Bellas Augen knackige Würste und verbot mir, vor dem Schlafengehen noch schnell eine Runde mit ihr zu drehen. Ich spürte, dass meine Tage mit Bella gezählt waren.

Wir waren in Hinterstoder gewesen. Das Wetter war drückend und heiß. Bella und mir wurde schlecht während der Rückfahrt im stickigen Auto. Mein Vater musste dreimal stehenbleiben, damit wir in die Wiese kotzen konnten. In der Nacht darauf hatte Bella Durchfall. Ich schlich mich immer wieder heimlich mit ihr aus der Wohnung. Unten auf der Muldenstraße war kein Mensch zu sehen. Das Licht einer der Straßenlaternen flackerte. Schließlich erlosch es. Plötzlich bekam ich Angst um Bella. Hätte mein Onkel Kurt da noch gelebt, ich wäre zu ihm nach Sierning gefahren und er hätte Bella gerettet. Aber der Onkel Kurt war tot. Also entschloss ich mich, Bella selbst zu behandeln. Ich verabreichte ihr täglich eine der Tabletten, die meine Mutter jeden Abend vor dem Zubettgehen schluckte.

Die Tabletten hatten eine katastrophale Wirkung auf Bella. Sie wurde von Tag zu Tag schwächer und begann sogar zu hinken. Am vierten Tag hatte sie bereits sechs Beulen auf dem Rücken. Ich hätte mir doch einfach vorstellen können, Bella würde genesen. Aber das tat ich nicht. Ich verlangte von mir, tapfer zu sein und den

Anblick des kranken Hundes, den ich selbst erfunden hatte, zu ertragen. Das sind die Regeln der Spiele und der Kriege.

Ich vermischte verschiedene zerbröselte Kräuter und Blüten mit der Creme, mit der meine Mutter ihre stets juckenden Beine einrieb, gab auch einen Schuss achtzigprozentigen Rum zur Desinfektion dazu und rieb Bella damit vollständig ein. Auch das half nicht. Es kamen neue Beulen dazu. Trotzdem freute Bella sich jeden Tag, wenn ich aus der Schule kam und mit ihr spazieren ging. Die Treppen im Stiegenhaus musste ich sie hinunter- und hinauftragen und wir kamen nur schrittweise vorwärts. Das hinderte Bella nicht daran, jedes einzige Gänseblümchen am Wegrand zu beschnüffeln. Manchmal vergaß sie sogar, dass sie hinkte, und sprang kurz einem Schmetterling nach. Ich tat in der Nacht kein Auge mehr zu, sondern passte auf Bella auf. Sie schlief jetzt nur mehr in meinem Bett und ich streichelte sie die ganze Nacht. Den Teddy stopfte ich in eine Schublade, damit er Bella nicht stören konnte mit seiner Eifersucht. Eines Tages gaben ihre Beine nach. Ich kramte den Puppenwagen im Keller hervor, den ich nicht mehr benutzt hatte, seit der Teddy behauptet hatte, kein Baby mehr zu sein. Den Puppenwagen schleppte ich aus dem Keller auf den Schotterweg hinter unserem Haus, pflückte ein paar Margeriten und legte sie in den Puppenwagen. Dann trug ich Bella in den Hinterhof, setzte sie hinein und fuhr sie mit dem Puppenwagen auf und ab. Bella legte die Schnauze auf die Margeriten und schlief ein. Ich hatte aber trotzdem das Gefühl, dass die frische Luft ihr guttat. Meine Mutter fragte mich, wieso ich seit neuestem mit einem leeren Puppenwagen im Hinterhof herumfuhr. Überhaupt fände sie mein Verhalten seit einiger Zeit seltsam. Sie habe auch schon mit meinem Vater darüber gesprochen. Der mache sich ebenfalls Sorgen, dass ich neuerdings mit mir selber spräche. Den Teddy habe sie zusammengedrückt in einer Schublade gefunden. Warum ich nicht mehr mit ihm spielte? Wenn das so weiterginge, würde sie persönlich eine Freundin für mich suchen. Als meine Mutter mich dann sogar umarmte, wusste ich, dass Bella sterben würde.

Wir beschlossen, einen letzten gemeinsamen Tagesausflug zu machen. Leider weihte ich Helga ein. Sie versprach mir, Donnerstagmittag meine Mutter anzurufen und ihr zu sagen, dass ihre Eltern mich zum Mittagessen eingeladen hätten. Nachmittags hatten wir in der Schule Turnen, ich würde bis fünf Uhr abends niemandem abgehen. Nachts versteckte ich meine Schulsachen unter dem Bett und Donnerstag früh brachen Bella und ich auf. Sie saß in meiner Schultasche. Es gefiel ihr dort, sie legte das Kinn an meinen Kopf. Ich marschierte zu Fuß in den Wasserwald, wo es Wiesen, Bäume und sogar zwei Teiche gab. Bella blieb in meinem Rucksack sitzen, aber ich ging so unter den Bäumen her, dass sie an den Blättern und Blüten schnuppern konnte. Am See suchte ich einen schönen Platz unter einer Trauerweide und wir aßen meine Schulbrote. Das heißt Bella aß nur den gekochten Schinken, ich aß die Brote. Dann wollte sie noch einmal schwimmen. Das Wasser schien ihr gut zu tun, wahrscheinlich kühlte es die entzündeten Beulen auf ihrem Rücken. Wir kuschelten uns ins Gras in die Sonne und schliefen ein. Als wir aufwachten stand die Sonne schon tief, wir mussten zurück. Bella bedankte sich für die schöne Zeit mit mir und ich sagte, ich würde sie sehr vermissen.

Ich marschierte heim wie ein Soldat aus dem Krieg, der seinen schwer verwundeten Kameraden auf dem Rücken trägt. Als wir zu Hause ankamen, standen meine Eltern beide im Flur. Da mein Vater um fünf Uhr sonst noch nie zu Hause war, wusste ich sofort, dass wir aufgeflogen waren. Helga hatte nicht dicht gehalten und meinen Eltern erzählt, dass ich durch die Gegend spazierte, statt in die Schule zu gehen. Meine Mutter war daraufhin in mein Zimmer geeilt, hatte die Schulsachen unter meinem Bett gefunden und meinen Vater im Büro angerufen. Mein Vater befahl mir, ihm augenblicklich ins Kabinett zu folgen. Dort stand eine Kommode, deren Türe man nach unten aufklappen konnte, so dass sie einen Tisch ergab. Mein Vater erledigte dort gemeinhin seine Korrespondenz. Er zog einen Sessel heran und setzte sich, während ich stand. Dann fragte er mich, wo ich gewesen sei. Ich antwortete nicht. Er redete mir gut zu, dass die Wahrheit zu sagen immer das Beste sei und dass man über alles, was auch immer passiert sei, reden könne. Aber ich sagte nichts. Daraufhin wurde er wütend und drohte damit, mich in ein Internat zu stecken. Aber er hätte mich standrechtlich erschießen können, ich hätte ihm die Wahrheit nicht gesagt. Das war ich Bella schuldig. Mein Vater wurde dann traurig, im Wohnzimmer heulte meine Mutter, also entschloss ich mich, zu lügen. Ich sagte, dass ich Angst gehabt hätte, den Aufsatz, den wir als Hausaufgabe gehabt hätten, vorzulesen, weil die Lehrerin mir schon zweimal einen Vierer auf einen Aufsatz gegeben hatte. Letzteres stimmte sogar. Mein Vater ließ sich das Hausaufgabenheft zeigen und entdeckte in einem Aufsatz, den ich in der Schule vorgelesen hatte und der dann von der Lehrerin korrigiert worden war, sogar einen Fehler, der gar kein Fehler war. Ich hatte unter dem Titel der Hausaufgabe »Eine Wanderung mit meiner Familie« geschrieben, dass wir gleich zu Beginn der Wanderung unsere Wegzehrung aufgegessen hätten. Die Lehrerin hatte mir das zweite e in der Wegzehrung auf ein ä ausgebessert. Mein Vater war empört. Die Sache mit der Wegzehrung in meiner Hausaufgabe war seine Idee gewesen. Jedenfalls war seine Stimme schon freundlicher, als er sagte, dass das noch lange kein Grund sei, einfach nicht mehr in die Schule zu gehen und stattdessen durch die Gegend zu spazieren, und schickte mich in mein Zimmer. Meine Eltern berieten sich dann im Kabinett und verhängten zwei Wochen Hausarrest über mich. Das Abendessen war ebenfalls gestrichen. Meine Mutter brachte mir ein Glas Wasser und ein Butterbrot ins Zimmer.

In der folgenden Nacht starb Bella. Ich hatte sie aus

der Schultasche gehoben und auf meinen Kopfpolster im Bett gelegt. Sie atmete schwer. Ich flößte ihr Wasser ein und fütterte sie mit dem Butterbrot. Als ich spürte, dass sie die Nacht nicht überleben würde, setzte ich mich im Bett auf, bettete ihren Kopf in meinen Schoß und drehte die Nachttischlampe an. Wir schauten uns ununterbrochen in die Augen. Ihre Augäpfel waren schwarz umrandet. Die Iris in der Mitte war auch schwarz, darum herum dieses Sattbraun ihrer Augen mit den goldenen Einsprengseln. Da sie zu mir hinaufschaute, sah ich auch ein wenig weiße Haut darunter. Bellas Blick war ganz klar. In ihm war alles eingefangen, was ich jemals gedacht und gefühlt hatte. Ich küsste sie auf die Schnauze und auf den Kopf und sagte ihr, dass ich sie nie vergessen würde. Da drehte sie die Augen nach oben und starb.

Nachdem Bella tot war, lernte ich, dass alle anderen weiterlebten. Die Lehrerin, die Mitschüler, die Kinder im Hof, Helga, meine Eltern, ich selbst. Ich lernte, dass sich gar nichts veränderte. Weder das Wetter noch die Schule, noch mein Zimmer, noch ich selbst. Nichts, was vorher schön war, wurde hässlich, nichts was schlecht war, wurde gut. Die Sonne schien, ich ging in die Schule, die Kinder im Hinterhof spielten Ball und ich war froh, dass ich Hausarrest hatte und nicht mit ihnen spielen musste. Nach der Schule lag ich meistens auf meiner Couch, den Kopfpolster im Arm und starrte auf die Decke. Ich glaube, meine Eltern machten sich Sorgen um mich. Schließlich verkürzte mein Vater den Hausarrest auf eine Woche. Ich wollte aber auch nach einer Woche nicht im Hof mit den Kindern spielen, sondern blieb auf der Couch liegen. Erst als ich hörte, wie meine Eltern eines Tages im Wohnzimmer flüsterten, dass sie mit mir zu einem Psychologen gehen würden, sprang ich auf, kramte meinen Teddy aus der Schublade hervor und bestrafte ihn fürchterlich. Er musste in dem Puppenwagen, den meine Eltern wieder in mein Zimmer gestellt hatten, liegen und wurde mit der von meiner Mutter selbst bestickten Babydecke zugedeckt. Außerdem quetschte ich seinen dicken Kopf in die ebenfalls von meiner Mutter selbst bestickte Mütze, die ich angeblich auch als Baby getragen hatte. So fuhr ich mit ihm durch die Wohnung, damit alle seine Schande sehen konnten. Merkwürdigerweise beruhigte meine Eltern das. Gott sei Dank, sagte meine Mutter zu meinem Vater, sie spielt wieder so schön mit ihrem Teddy. Ich glaube, sie waren beide total erleichtert. Mein Vater ging sogar am Elternsprechtag persönlich in die Schule, um meine Lehrerin darüber aufzuklären, dass ich die Wegzehrung damals in dem Aufsatz »Eine Wanderung mit meinen Eltern« ganz richtig geschrieben hatte. Auf dem Weg zum Elternsprechzimmer fiel ihm auf, dass auf dem Schild über dem Konferenzzimmer zwei Buchstaben fehlten, so dass »Konfenzzimmer« über dem Konferenzzimmer stand. Was er sofort beanstandete. Sowohl meine Volksschullehrerin als auch die Direktorin entschuldigten sich schließlich bei meinem Vater und beim nächsten Aufsatz »Als ich mich einmal sehr freute« bekam ich ein Gut, obwohl ich in den drei Sätzen, aus denen mein Aufsatz bestand, drei Fehler gemacht hatte und nur darüber schrieb, dass ich mich immer sehr freue, wenn meine Mutter eine Malakofftorte herstellte. »Mallakof« schrieb ich mit Doppel-L und einem F.

Irgendwann zu dieser Zeit schlief Sonjas und meine Freundschaft mehr und mehr ein. Je weniger ich selbst an meine Rolle als vertauschte oder von einem Scheich in die Wüste entführte Prinzessin glaubte, desto mehr ärgerte mich Sonjas Teilnahmslosigkeit. Ich versuchte, sie in ausweglose Situationen zu manövrieren. Wir waren an einen viertausend Jahre alten Affenbrotbaum aus *Meyers Lexikon* gefesselt, als sich ein Löwe näherte. Ich schrie: »Er wird uns fressen, er wird uns fressen!« Aber Sonja blieb total ungerührt. Davon abgesehen, dass sie keine Ahnung hatte, wie ein Affenbrotbaum in der Wüste aussah, konnte sie sich offenbar nicht einmal einen menschenfressenden Löwen vorstellen. »Ein Löwe frisst nur Früchte«, sagte sie. Das muss man sich einmal vorstellen! Wie konnte man mit so einem Menschen irgendwelche Abenteuer erleben? Nur wenn ich andeutete, dass ihre Eltern vielleicht gar nicht ihre Eltern waren, dass sie wahrscheinlich als Baby im Krankenhaus vertauscht worden war usw. geriet sie aus der Fassung. Sonja entwickelte sich mit der Zeit immer mehr zu einer fantasielosen Zimtzicke, die später, als auch ihre Eltern endlich einen Fernseher angeschafft hatten, bei *Lassie* oder *Fury* stundenlang heulte oder die man von der Schulwoche abholen musste, weil sie es ohne ihre Eltern nicht aushielt.

Mir erging es erst so, als ich bereits fast fünfzig Jahre alt war und mit meiner zwölfjährigen Tochter auf ihren Wunsch eine CD mit *Titanic* anschaute. Wir lagen im Hasenstall, wie wir damals in Linz unseren im Plan der Wohnung als »begehbaren Spitzboden« bezeichneten, kleinen, zeltförmigen Fernsehraum nannten, den wir mit Matratzen ausgelegt hatten. Um uns herum hatten wir Chips, Schokolade und Getränke aufgebaut. Es fing auch alles ganz harmlos an. Zuerst ging es um irgendwelche Schatzsucher, die die gesunkene Titanic entdeckt hatten. Ich war relativ unkonzentriert. Dann erzählte eine über hundertjährige Frau (es war die auf alt geschminkte Kate Winslet), die das Schiffsunglück überlebt hatte, von dem Ereignis. Typisch Hollywood, dachte ich noch, es muss ein Happy End geben, auch wenn der Rest auf den Untergang zusteuert. Aber dass Hollywood bei dem Rest dann dermaßen auf die Urängste der Zuschauer drückte, damit hatte ich nicht gerechnet. Der proletarische Leonardo DiCaprio und die reiche Kate Winslet verliebten sich ineinander. Bereits als das Schiff gegen den Eisberg krachte und die Teller und Gläser im Salon klirrten, wurde mir schlecht. »Hör auf, so viele Chips zu essen«, sagte meine Tochter, aber mir war gleich klar, dass ich den nervlichen Anforderungen des Filmes nicht gewachsen war. Leonardo DiCaprio war im unteren Deck eingesperrt, weil er aufgrund einer Intrige des Verlobten von Kate Winslet des Diebstahls bezichtigt worden war. Wasser drang ins Schiff ein. Kate weigerte sich, ohne Leonardo mit ihrer Mutter ins Rettungsboot des Schiffes zu steigen. Meine Hände wurden langsam feucht. Das Schiff begann sich zu neigen. Als sich herausstellte, dass nicht für alle Passagiere Platz in den Rettungsbooten war, was ich vorher schon gewusst hatte, schließlich kennt jeder die Geschichte vom Untergang der Titanic, heulte ich bereits. Warum war mir selbst nicht klar. Vielleicht war irgendetwas an dem Tag schiefgelaufen. Oder ich hatte in der Nacht zuvor schlecht geträumt. Meine Tochter stoppte den Film. Ich glaube, sie war völlig verblüfft. »Es ist ja nur ein Film«, sagte sie verdattert. Ich beruhigte mich mit einer halben Tafel Schokolade und wir schauten weiter dem unaufhaltsamen Untergang der Titanic zu. Besonders erschütternd fand ich, dass er sich nachts zutrug. Das hell erleuchtete Schiff neigte sich immer mehr auf ein pechschwarzes Meer zu, im Speisesaal flogen Stühle und Tische herum, die Schiffskapelle spielte weiter, DiCaprio war immer noch in seinem Verlies eingesperrt, Winslet irrte im Unterdeck herum, auf dem Oberdeck versuchten Matrosen und Offiziere, das Chaos bei den Rettungsbooten zu ordnen. Als es »Kinder und Frauen zuerst!« hieß, konnte ich nicht mehr. Ich schluchzte. Meine Tochter drehte den Film ab und zog die Jalousie im Spitzboden hoch. »Schau Mama«, sagte sie, »draußen scheint die Sonne. Wir schauen den blöden Film nicht weiter, sondern gehen ein bisschen spazieren.« Aber ich konnte nicht mehr zu heulen aufhören. Das eiskalte Meer. Die Dunkelheit. Die Schiffskapelle, die weiterspielte, bis zu den Knöcheln im Wasser stehend. Frauen und Kinder zuerst. Schrecklich! Genau da fiel mir Sonja ein, die stundenlang geheult hatte, weil Lassie verkauft worden und von seinem bösen, neuen Besitzer abgehauen war und sich nun wochenlang ohne Futter durch die Gegend schleppte, abgemagert, blutend, hinkend, um zu seiner ursprünglichen Familie zurückzukehren. Dann weinte ich, weil ich als Kind keinen Hund bekommen hatte.

Hinterher war ich innerlich gereinigt. Wir aßen die restlichen Chips und die Schokolade auf und gingen anschließend im Hummelhofwald spazieren. Immer wieder blieben wir stehen und lachten, weil ich bei der Hollywoodschnulze so geheult hatte. »Da müsstest du erst einmal *American Beauty* sehen«, sagte meine Tochter, »da würdest du dich überhaupt nicht mehr einkriegen.«

Statt eines Hundes bekam ich als Kind irgendwann ein Klavier. Eines Tages läutete es an der Tür und zwei unglaublich große und starke Männer schleppten es in unsere Wohnung. Sie hatten Gurte um ihren Hals und um das Klavier gebunden, zählten bis drei und hoben das Ungetüm ruckartig an. Fast hätte es nicht durch die Tür zum Wohnzimmer und dann durch die Tür zum sogenannten Kabinett gepasst. Die beiden Männer mussten es immer wieder abstellen, bis drei zählen und dann ruckartig versuchen, es durch die jeweilige Türe zu bugsieren. Einer der beiden starken Männer zwickte sich die Hände ein und wurde danach von meiner Mutter verarztet. Wäre das Ungetüm doch nur ein paar Zentimeter breiter gewesen. Es wäre mir vieles erspart geblieben. Meine Mutter hatte nämlich beschlossen, dass ich bei Frau Jansen in der Wankmüllerhofstraße Klavierunterricht bekommen sollte. Je früher, hatte sie zu meinem Vater gesagt, desto besser. Alle berühmten Pianisten hätten bereits als Kind Klavierunterricht gehabt. Da hätte ich schon gewarnt sein müssen! War ich aber nicht. Ich dachte, dass es vielleicht interessant sein könnte, bei Frau Jansen in der Wankmüllerhofstraße, die im Haus neben Edda wohnte, Klavierspielen zu lernen und nachher im Garten mit Edda zu spielen. Dass Klavierspielen mit ständigem Üben verbunden ist, bedachte ich nicht. Ja, ich kann im Nachhinein sagen, dass eine schreckliche Zeit auf mich zukam. Ich musste einmal in der Woche zum Klavierunterricht. Frau Jansen hatte einen prächtigen, schwarz glänzenden Flügel mit elfenbeinfarbenen Tasten, während wir nur ein Piano hatten, das im selben kackbraunen Farbton furniert war wie der Einbauschrank mit der indirekten Beleuchtung in unserem Kabinett und die Couch im Wohnzimmer. Das Piano hatte nur vor der Verbindungstür zwischen Kabinett und dem Schlafzimmer meiner Eltern Platz gehabt, weshalb man beim Klavierüben gegen die mit kleinen Rosen tapezierte Verbindungstür schauen musste, während man bei Frau Jansen wenigstens auf einen üppig blühenden Hinterhausgarten sah. Die grellweißen Tasten unseres Pianos waren außerdem viel sperriger als die elfenbeinfarbenen Tasten des schwarzglänzenden Flügels, weshalb man auf unsere Tasten richtiggehend eindreschen musste. Der Nachteil von Frau Jansen war, dass sie einen ekelhaften Ausschlag auf den Händen hatte. Wahrscheinlich war sie deshalb keine berühmte Pianistin, sondern nur Klavierlehrerin geworden. Mir grauste vor ihren Händen, die ganz rot gefleckt waren und gelbe Pusteln hatten. Wer weiß, was so eine starke Abwehr für einen Einfluss auf die Erlernung eines Musikinstruments hat. Meine Erfahrung mit dem Klavier war jedenfalls, dass es mir unmöglich erschien, mit der rechten Hand etwas anderes zu spielen als mit der linken. Genau darum schien es aber zu gehen. Und genau darum musste ich fleißig üben. Bereits die erste Übung, die ich bis zur nächsten Klavierstunde in einer Woche bewältigen sollte, brachte mich an den Rand der Verzweiflung. Meine Mutter saß neben mir und zählte den Takt mit. Meine Hände wollten einfach nicht getrennt voneinander verschiedene Noten spielen. Sie wollten beide das Gleiche spielen. Und auch das nicht genau nach den Noten vor mir. Meine Mutter saß daneben und rief »Falsch!«, wenn ich die vorgeschriebenen Noten nicht traf. Es war zum Heulen. Die viele schöne Zeit, die durch das sinnlose Üben verloren ging! Für meine Mutter hingegen schien Klavierspielen der Höhepunkt ihres Tages. Sie übte beinahe ununterbrochen, obwohl sie gar keine Klavierstunden bei Frau Jansen nahm. Jetzt muss ich sagen, dass nicht nur mein eigenes Üben Zeitverschwendung war, sondern auch das meiner Mutter. Wir hatten offenbar beide nicht das geringste Talent zum Klavierspielen. Dazu kamen die sperrigen Tasten des Pianos und die steifen Hände meiner Mutter. Wann immer die strengen Ruhezeiten in den Mietwohnungen es zuließen (mittags von 12:00 bis 15:00 Uhr, abends ab 19:00 Uhr, an Wochenenden vormittags), drosch meine Mutter mit steifen Fingern auf die sperrigen Tasten unseres Pianos ein. Manchmal konnte ich mich nicht einmal bei geschlossener Kinderzimmertür beim Arztspielen konzentrieren und operierte meinem Teddy statt den Mandeln den Blinddarm heraus. Ich glaube, auch meinen Vater begann unser ständiges Üben beim Zeitunglesen zu stören. Meine Mutter erzählte inzwischen überall in der Nachbarschaft herum, dass wir jetzt ein Klavier hätten und dass ich eines Tages vielleicht Pianistin werden würde. Ich weiß nicht, wie lange ich Unterricht bei Frau Jansen nehmen musste. Sicherlich einige Jahre lang, weil ich mich an Konzerte zu Beginn der Sommerferien erinnere. Alle Schüler mussten vor den versammelten Eltern ein Stück auswendig spielen. Die Eltern saßen auf Bänken in Frau Jansens üppig blühendem Garten und die Schüler, die im Vorraum auf ihren Auftritt warteten, mussten einzeln im Klavierzimmer, dessen Flügeltüren weit offen standen, vortreten, sich Richtung Garten verneigen, auswendig ihr Stück spielen, sich dann unter dem Applaus der Eltern wieder verneigen und abtreten, um dem nächsten Schüler Platz zu machen. Je näher das jeweilige Konzert rückte, desto drastischer wurden die

Maßnahmen meiner Mutter. Ich musste nun sogar an den Wochenenden üben. Selbstverständlich nur nachmittags. Mit der Zeit entwickelte ich einen regelrechten Horror vor diesen Konzerten. Erstens konnte ich mir die Stücke nur schwer auswendig merken, und zweitens lud meine Mutter sämtliche Nachbarn ein, doch auch zu dem Konzert zu kommen, was mich in Panik versetzte, weil ich im Falle meines Versagens wenigstens anonym bleiben wollte. Am Tag des Sommerkonzerts musste ich mit meiner Mutter zu den Weißenböcks gehen, wo meine Mutter eine neue Dauerwelle verpasst bekam und ich die schrecklichen Löckchen mit der Brennschere. Zum Konzert selbst wählte meine Mutter mit großer Treffsicherheit für mich ein Kleid aus, in dem ich noch dünner und größer aussah als ich ohnehin war. Und was, wenn ich mitten im Stück steckenblieb? Irgendwann passierte es dann wirklich: Ich blieb vor der versammelten Elternschaft stecken, begann noch einmal von vorne und blieb wieder stecken. Meiner Erinnerung nach wiederholte sich das ein paar Mal. Aber vielleicht bilde ich mir das nur im Nachhinein ein und ich war in Wirklichkeit nur einmal stecken geblieben. Der Fall von der potentiell berühmten Pianistin zum Versager war jedenfalls unendlich tief. Irgendwann lief ich einfach davon und durch den Hinterausgang aus dem Haus von Frau Jansen hinaus und bis zu dem Verbindungsweg zwischen Muldenstraße und Eisenwerkstraße, wo ich mich hinter einem Knallerbsenstrauch versteckte und sämtliche weiße Beeren vom Strauch riss und zertrat. Nach diesem Konzert bin ich nie mehr zur Frau Jansen in den Klavierunterricht gegangen und habe auch sonst nie mehr ein Klavier angerührt.

Stattdessen besuche ich seit zwei Jahren Feldenkraiskurse. Eine großartige Erfahrung. Im Grunde wie Klavierspielen lernen. Aber ohne Mutter an der Seite, die »Falsch!« ruft, bevor man noch selbst einem Ton nachgehorcht hat. Und ohne Frau Jansen, die langweilige Etüden als Hausaufgaben gibt. Unsere Feldenkraislehrerin ist zwar auch Musikerin und gibt Klavierstunden – haben Musiker eine besondere Beziehung zur Feldenkraismethode? –, aber sie erzählt im Gegensatz zu Frau Jansen Witze zwischen den Übungen. Damit wir uns nicht zu sehr anspannen. Anfänglich hat mich das gestört. Ich mag Witze nicht. Aber inzwischen entspannt mich sogar der blödeste Blondinenwitz.

Die Anspannung ist ein Hauptproblem des modernen Menschen. Sie kommt von der Überbewertung des Willens. Aber was ist schon der Wille? Nichts als ein durch gesellschaftliche Übereinkunft erzwungenes Verhalten. Welches Kind lernt durch reinen Willen Gehen oder Sprechen? Feldenkrais ist ein Kampfsport der Willenlosigkeit. In Zeitlupe. Eine Minimalisierung. Ein ständiges Koordinieren der rechten und linken Gehirnhälfte. Abgesehen davon, dass es Schmerzen lindert, ermöglicht es dem Erwachsenen, wie ein Kind zu lernen. Woran die Kinder selbst ja meistens gehindert werden, wo es nur möglich ist. Ich bin der Meinung, dass überhaupt nichts Wesentliches durch den Willen entsteht. Gott sei Dank bin ich selbst gefeit gegen jede übermäßige Willensanstrengung. (Deshalb erfinde ich nichts. Weder Geschichten noch Strukturen. Auch keine Übergänge. Ich erinnere mich an einen Kollegen, der von seinem Lektor so lange gezwungen wurde, an Übergängen zwischen seinen Kapiteln zu basteln, bis er einen Schlaganfall erlitt.)

Ich glaube, meine Mutter hätte der Schlag getroffen, wenn ich als Kind, so wie heute durchaus üblich, ein Foto von mir im Bikini auf Facebook gestellt hätte. Meine Mutter hätte sofort soundso viele Pädophile, Spanner, Stalker, Vergewaltiger und Mörder im Dunkeln des Internets vermutet, die zu Hause, bei einem Glas Bier, gemütlich ihre Opfer aussuchen. Gott sei Dank gab es damals noch kein Internet. Meine Mutter vermutete trotzdem überall Pädophile, Spanner, Stalker, Vergewaltiger und Mörder, die womöglich bereits um die nächste Ecke lauerten, um ihre Tochter anzugrapschen, zu verfolgen, zu vergewaltigen oder gleich zu ermorden. Das Problem war nur, dass meine Mutter die Pädophilen, die Spanner, die Stalker, die Vergewaltiger und Mörder nie dort vermutete, wo sie wirklich waren: Beim Pfarrer, beim Pater, der die Jungschar leitete, beim Zahnarzt, beim Schuldirektor oder beim Verwandten. Sie vermutete sie dort, wo sie nicht waren: bei den Arbeitslosen, den Langhaarigen, den Konsumverweigerern, den Hippies.

Der neue Zahnarzt sang im Kirchenchor mit. Schon

allein deshalb erschien er meiner Mutter vertrauenswürdig. Sie begleitete mich nicht zum Zahnarzt, der bei uns um die Ecke ordinierte, obwohl sie während der Behandlung bei Frau Postl, unserer Dentistin, deren Ordination weiter weg lag, immer dabei gewesen war. Der neue Zahnarzt, der klein und dick war, hatte seltsame Behandlungsmethoden. Zum Beispiel presste er, während er mit der Rechten bohrte, seine linke Hand auf meine Brust. Ich konnte mir das nicht anders erklären, als dass er wohl eine Art Gegendruck zum Bohren erzeugen wollte. Als er dazu überging, mit seiner linken Hand gegen mein Schambein zu pressen, indem er zuerst über meinem Rock presste, dann aber unter den Rock griff, um über meiner Unterhose zu pressen und dann auch noch unter meiner Unterhose herumnestelte, um auf das nackte Schambein zu pressen, schob ich seine Hand weg. Vor Schreck rutschte er mit dem Bohrer aus und bohrte in mein Zahnfleisch. Ich blutete wie ein Schwein. Er sagte, das komme davon, wenn man während der Behandlung nicht still sitze, sondern dauernd herumwetze, und sprach von einer längeren Blutstillungsbehandlung am nächsten Morgen. Wenn Bella noch gelebt hätte, hätte ich sie zur Behandlung mitgenommen. Jedes Mal, wenn er bei der Behandlung seine Hand auf meine Brust gepresst hätte, hätte Bella fürchterlich gebellt, und wenn er seine Hand gegen mein Schambein hätte pressen wollen, wäre sie hochgeschnellt und hätte ihn in die Hand gebissen, bis er geblutet hätte. Seine Assistentin, die ihn schreien gehört hätte, hätte sofort ein Taxi gerufen und wäre mit ihm ins Krankenhaus gefahren, wo er an Blutvergiftung gestorben wäre. Aus irgendeinem Grund musste ich nach der zweiten, langwierigen Blutstillungsbehandlung nicht mehr zu dem neuen Zahnarzt gehen und meine Mutter begleitete mich wieder zu Frau Postl.

Die Jungschar, die ich kurze Zeit besuchte, wurde von einem Pater geleitet, der die ihm anvertrauten Mädchen ununterbrochen tätschelte. Auf die Wange, auf den Kopf, auf den Hintern. Das war mir auch sehr unangenehm, aber da die einzige Alternative zur Jungschar die Bastelgruppe war, in die nur Kleinkinder gingen, nahm ich den tätschelnden Pater in Kauf. Er war sonst ganz in Ordnung, erzählte Witze und lachte viel. Eines Tages wurde er aber versetzt. Ich erfuhr nie warum, aber die Jungscharführer tuschelten untereinander viel und schwiegen sofort, wenn sich jemand von uns Jüngeren näherte. Wir bekamen dann eine Nonne als Leiterin, die so streng war, dass wir uns vor ihr fürchteten. Nur wer vor der Schule um sechs Uhr morgens die Frühmesse im alten Dom besuchte, fand ihre Zuneigung. Da aber der alte Dom von unserer Wohnung etwa eine halbe Stunde Straßenbahnfahrt entfernt war, beschloss meine Mutter, mich aus der Jungschar zu nehmen. Ich war echt froh, weil sich mit ihrem Entschluss die Frage nach einer Alternative zur Jungschar automatisch gar nicht stellte.

Barbara Rosenfeldt, die Schwester von Theo, war das erste Mädchen, das in unserer Siedlung schwanger wurde. Sie war genau genommen meine erste Schwangere überhaupt. Das heißt, ich hatte sicher schon auf der Straße Schwangere gesehen, aber mir waren sie nicht aufgefallen. Mir wäre auch nicht aufgefallen, dass Barbara Rosenfeldt schwanger war. Ich hatte sie überhaupt erst ein paarmal von weitem gesehen, weil sie eine Friseurlehre machte und in der Früh aus dem Haus ging und erst abends zurückkam. In den Hof kam sie nie. Aber es gab ein sagenhaftes Getuschel unter den Erwachsenen über Barbaras Schwangerschaft. Sie war erst sechzehn Jahre alt, niemand hatte vorher je gesehen, dass sie einen Freund gehabt hätte. Plötzlich war sie im siebten Monat schwanger. Da sie ebenfalls den dicken, im Kirchenchor mitsingenden Zahnarzt aufsuchte, wo ich sie einmal nach meiner Behandlung im Wartezimmer sitzen gesehen hatte, nahm ich insgeheim an, dass sie von dem nestelnden Zahnarzt schwanger war. Wir Mädchen standen jedenfalls extra vor Schulbeginn auf und liefen zum Haus der Rosenfeldts, um Barbara in der Früh aus dem Haus gehen zu sehen. Sie sah eigentlich aus wie immer, nur dass sie einen unglaublich dicken, kugelrunden Bauch hatte. Angeblich hatte sie gesagt, sie werde ihr Kind in Samt und Seide betten. Ich musste sofort an den schwarzen Seidenmorgenmantel mit den lila Mohnblumen ihrer Mutter denken und an die weiche rote Samtcouch. Wir spielten wochenlang, dass wir schwanger wären und stopften uns Polster unter die Bluse. So watschelten wir, den Bauch weit vorgestreckt, durch den Hof. Die Buben waren ratlos. Irgendwann interessierte uns das Spiel nicht mehr, und ich kann mich nicht erinnern, dass ich gesehen hätte, wie Barbara später einen Kinderwagen durch die Gegend geschoben hätte. Aber vielleicht waren die Rosenfeldts da ja schon aus unserer Siedlung ausgezogen.

Von Edda hatte ich die Sache mit dem Coitus interruptus. Sie erklärte mir, dass Barbara nicht schwanger geworden wäre, wenn sie Coitus interruptus praktiziert hätte. Ich verstand zuerst Kolikus interruptus, was mich sofort an die Koliken bei der Darmverschlingung denken ließ, weswegen mir der Vorgang, wie immer er auch sein mochte, sofort unsympathisch war. Was interruptus bedeutete, wusste ich auch nicht. Edda wusste es auch nicht so genau. Sie wusste nur, dass Babys durch eine Paste entstehen, die die Männer den Frauen in den Leib spritzten, nachdem sie ihr Ding hineingesteckt haben. Wenn sie es aber rechtzeitig wieder herauszogen, dann landeten die Babys auf der Bettdecke. Ich fand das eine ungeheure Verschwendung von Babys. Edda sagte, deshalb sei der Papst ja gegen den Coitus interruptus. Es war mir zwar ein Rätsel, was der Papst damit zu tun haben sollte, sagte aber nichts, weil ich nicht naiv wirken wollte. Die andere Methode, fuhr Edda fort, sei Knaus-Ogino. Ich fürchtete schon, es sei dabei wieder die Rede von der Paste, die der Mann der Frau angeblich in den Leib spritzte, aber Edda sagte, es ginge dabei nur ums Fiebermessen. Man könne dadurch die fruchtbaren Tage der Frau bestimmen, die irgendwann zwischen zwei Blutungen liegen. Mein Gott, gab es denn nur unangenehme Nachrichten, was das Frausein betraf? Edda tröstete mich mit dem Argument, dass der Vorteil einer Frau, die Kinder bekam, war, dass sie in weiterer Folge nicht mehr arbeiten müsste. Und tatsächlich fiel mir da erst auf, dass keine einzige Frau in unserer Vöestsiedlung arbeitete. Außer Gabis Mutter, aber die hatte keinen Mann. Und die Frage, wie sie ohne Mann an die Babypaste gekommen war, wollte ich beim besten Willen nicht auch noch vertiefen.

Eines Morgens wachte ich auf und hatte plötzlich Angst. Es war eine tiefe, durchdringende, meinen ganzen Körper bis in die Fingerspitzen ausfüllende Angst. Ich überlegte, wovor ich diese schreckliche Angst haben könnte. Mir fiel nichts Konkretes ein. Sicher, die Sache mit dem Fegefeuer setzte mir mächtig zu, auch an den Kreuzestod Jesu dachte ich oft, besonders an die Details mit den Nägeln in den Händen und Füßen, oder an die Möglichkeit, dass meine Eltern beide bei einem Autounfall ums Leben kommen könnten, und ich dann Vollwaise wäre und in das SOS-Kinderheim kommen würde, aber warum sollte all das gerade heute und jetzt so eine Angst auslösen? Die Angst hatte ihr Zentrum in der Brust und strahlte von dort aus. Ich angelte unter dem Bett nach dem Teddy. Aber er konnte mich nicht beruhigen. Ich hatte zum ersten Mal das Gefühl, dass der Teddy ein Traumgespinst war, geboren womöglich aus dieser unterschwellig schon lange vorhandenen Angst. Ich blieb im Bett liegen und zog die Decke über meinen Kopf. Alles war seltsam fremd. Auch die Decke und mein Bett. Sogar mein eigener Körper, der irgendwann plötzlich bluten würde. Ich versuchte, mich selbst am Schopf aus diesem schlammigen Angstloch zu ziehen, und dachte an alle möglichen wunderschönen Dinge, die mir bevorstanden: Mein Geburtstag, Weihnachten, Ostern, der Urlaub in Jesolo, die Malakofftorte, von der noch ein Stück im Kühlschrank war. Nichts davon half. Wahrscheinlich wurde ich gerade wahnsinnig. Die verrückte Sandlerin in der Innenstadt fiel mir ein, die immer im Volksgarten stand. Die Haare standen ihr wirr vom Kopf ab und die zerrissenen Kleider schlotterten um ihren dürren Körper. Wenn jemand sie ansah, schrie sie sofort los und beschimpfte die Vorübergehenden. Es war nicht so genau zu verstehen, worüber sie eigentlich schimpfte, nur einzelne Satzfetzen wie »Alle einsperren!«, »Saubande, verlotterte!«, »Ihr werdet es schon noch sehen!«, verstand man. Manchmal hob sie ihren Rock, dann zerrte mich meine Mutter schnell weiter.

Die alte Angst habe ich immer noch. Ich wache morgens auf und sie ist plötzlich da. Wie in meiner Kindheit. Vielleicht habe ich ja damals Angst gehabt, weil ich noch so jung war, und habe jetzt Angst, weil ich schon so alt bin. Alle Zustände, die, von außen betrachtet, gleichbleiben, sind ja, von innen her betrachtet, grundverschieden. Weil sich die Angst mit der jeweiligen Situation, in der wir uns befinden, verändert. Und diese Änderung geht dann in alle folgenden Ängste ein und verändert sie wiederum. Alle Erinnerungen sind so gebaut. Und wir selbst nichts als Erinnerung.

Alles Wichtige in meiner Kindheit spielte sich am Teich mit den Natursteinplatten zwischen der Vöestsiedlung und dem Kolczak ab. Dort saßen wir auch, als ich die Entdeckung machte, dass ich ein Einzeller bin. Im Grunde hatte ich es immer schon geahnt, aber die Erwachsenen erzählten einem grundsätzlich nichts irgendwie Wissenswertes. Markus, der drei Jahre älter war als ich und der Älteste in unserer Runde, hatte es in der Schule aufgeschnappt. Alles Lebendige, sagte er und warf einen Kieselstein in den Teich, bestehe aus Zellen. Wie immer tauchten beim Aufklatschen des Steines auf dem Wasser hastig ein paar Frösche unter. Die Zelle, fuhr er fort, sei die kleinste Einheit des Lebendigen, jede einzelne Zelle sei in der Lage, die Grundfunktionen des Organismus, also Stoffwechsel, Wachstum, Bewegung, Vermehrung und Vererbung zu erfüllen. Wenn sie sich durch Teilung vermehre, blieben alle ihre Fähigkeit in jeder der beiden neuen Zellen vorhanden. Ein Mensch habe ungefähr vierzig Billiarden Zellen. Alle staunten nicht schlecht. Besonders als Markus erklärte, dass die Zellen, die so klein seien, dass man sie mit freiem Augen gar nicht sehen würde, aneinandergereiht zweieinhalb Millionen Kilometer weit reichten. Das sei eine Strecke, die, sagte er, etwa sechzigmal um die Erde reiche. Und selbst wenn man in jeder Sekunde eine Zelle an die andere reihte, wäre das Ziel erst nach über drei Millionen Jahren erreicht.

Zuerst war es ganz still am Teich. Nur ein Frosch, der wieder aufgetaucht war, quakte zaghaft auf der anderen Teichseite. Nach einer Weile schüttelte Ilse den Kopf, Emma kicherte verlegen und Basti stand der Mund offen. Hans Brandlmüller fasste sofort den Plan, später einmal in die Forschung zu gehen und das selbst auszuprobieren. Mithilfe von Maschinen, sagte er, wie sein Vater, der gerade aus der gemeinsamen Wohnung ausgezogen war und die Scheidung von Hansis Mutter eingereicht hatte, sie entwerfe, wären dazu heute keine drei Millionen Jahren mehr nötig. Theo war der Meinung, die Lehrer hätten sich das alles nur ausgedacht, um die Schüler alleine durch diese enormen Zahlen einzuschüchtern. Das sah ich nicht so. Zahlen haben mir nie besonders imponiert. Wenn ich alle Blätter auf den Birken vor unserem Siedlungsblock ausreißen und dann aneinanderreihen würde, käme ich wahrscheinlich auch auf eine enorme Strecke. Oder die Sandkörner am Strand von Gabicce Mare, wenn man davon ausging, dass der Sand mindestens vier Meter tief lag und außerdem auch im Meer den Boden bildete. Wer hatte denn Interesse an so einer langweiligen Tätigkeit, wie Sand zu zählen oder die Sandkörner hintereinander aufzureihen? Und selbst wenn, was wäre das Ergebnis? Das einzig Interessante war meiner Meinung nach die einzelne Zelle, die alles, was der Mensch braucht, in sich enthält. Der Teich schien mir an diesem Tag dichter bewachsen als sonst. Die Sträucher rundherum hatten gelbe, fette Blüten. Markus sagte, dazu brauche es nicht viel mehr als einen Zellkern im Inneren, eine Membran, der die Zelle von den anderen abgrenzt, und eine Art biochemischer Batterie, die die Zelle mit Energie versorgt. Am allerbesten fand ich die Tatsache, dass eine Zelle, wenn sie sich vermehrt, sich einfach teilt. Großartig! Keine Komplikationen bei der Vermehrung: Menstruation, Coitus interruptus, Babypaste, Mann und Frau und so weiter, man wusste ja, wohin das führte. Aber eine einfache Teilung, ein glatter Schnitt, war doch etwas ganz anderes. Und alles, was die einzelne Zelle vor der Teilung weiß, weiß dann auch die andere Hälfte.

Ich teilte meine gerade neu gewonnene Erkenntnis mit, dass ich zur der Überzeugung gelangt sei, ein Einzeller zu sein. Markus behauptete zwar, dass Menschen Mehrzeller seien und nur so primitive Lebewesen wie das Pantoffeltierchen Einzeller, aber das war mir egal. Mehrzeller passten einfach nicht zu meiner Situation. Ich wusste von dem Moment an, dass in mir bereits alles enthalten ist, das ich brauche, um zu leben. Eines Tages würde ich mich teilen. Tagelang lief ich mit diesem herrlichen Gedanken in meinem Kopf herum. Alles in mir jubilierte.

Wenn ich heute darüber nachdenke, welches Kind bei uns im Hof Eltern hatte, die sich scheiden ließen, fällt mir eigentlich nur Hans Brandlmüller ein. Alle anderen Eltern hielten eisern durch, da konnte es noch so hart zugehen in den Ehen. Auch in meiner Volksschule gab es meines Wissens kein Scheidungskind. Und wir hatten acht Klassen mit je zwanzig Kindern. Heute ist es genau umgekehrt. In der ersten Volksschulklasse meiner Tochter in Berlin gab es ein einziges Kind, dessen Eltern verheiratet waren. Alle anderen waren entweder geschieden oder hatten nie geheiratet. Deshalb ist es eigenartig, dass ich als Kind immer hoffte, meine Eltern würden sich scheiden lassen. Ich plante dann, bei meinem Vater zu leben, der ja täglich ins Büro musste und deshalb keine Zeit haben würde, mich ununterbrochen zu beobachten. Ich stellte mir vor, dass wir morgens gemeinsam aus dem Haus gingen, mein Vater in die Arbeit und ich in die Schule, mittags würde er in der Kantine essen und ich bei einer Schulkollegin und nachmittags hätte ich die ganze Wohnung für mich alleine. Da ließe sich naturgemäß ganz anders spielen. Das Wohnzimmer könnte beispielsweise der Salon sein, in dem ich, der Kapitän des Kreuzfahrtschiffes, meine Empfänge gäbe. Mein Zimmer und das Schlafzimmer meiner Eltern wären die Kabinen und das Kabinett das Oberdeck, an dem meine Puppen und ich in der Sonne säßen und über das Meer schauten. Soweit das Auge reichte, wäre kein Land in Sicht. Wenn wir nicht Kreuzfahrt spielten, dann könnten meine Puppen wenigstens ins Kabinett ziehen und ich hätte in meinem Kinderzimmer endlich Ruhe. Um sechs Uhr abends käme dann mein Vater heim, und wir würden zusammen eine Kleinigkeit kochen. Am Wochenende gingen wir stets ins Restaurant essen. Was meine Eltern nie taten. Nur am Muttertag aßen wir in der Backhendlstation Wallern jeder ein Viertel Backhendl.

In der dritten Klasse Volksschule bekamen wir eine neue Schülerin. Sie hieß Sabrina und hatte vorher in Italien gelebt. Sabrina sah aus wie eine Italienerin, war aber keine. Ihr Vater war ein deutscher Musiker, der in einem italienischen Orchester die erste Geige gespielt hatte. Ihre Mutter war eine Schweizer Pianistin. Sabrina hatte lange, glatte schwarze Haare und große braune Augen. Ihre Haut war samtig und goldbraun. Sie sprach fließend Italienisch und Deutsch. Wir bewunderten sie alle. Sogar unsere Lehrerin, die sonst nur blonde Mädchen bevorzugte. Sie fragte Sabrina, was sie einmal werden wolle. Und als Sabrina »Sängerin« antwortete, forderte die Lehrerin sie mitten in der Rechenstunde auf, italienische Lieder vorzusingen. Sabrina rollte dabei das R vorne mit der Zunge. Wir übten nach der Schule stundenlang das Zungen-R, aber niemand von uns schaffte es auch nur annähernd. Sabrina war nach Linz gezogen, weil ihre Mutter eine Professur am Bruckner-Konservatorium bekommen hatte. Der Vater spielte im Bruckner-Orchester. Sabrina war fast jeden Abend im Konzert. Tagsüber musste sie leise sein, weil ihre Eltern viel übten. Angeblich wohnten sie in einem großen Haus mit Swimmingpool. Jede in meiner Klasse wäre gerne ihre Freundin geworden. Ich auch. Sabrina hatte aber ihre eigene Methode, eine Freundin zu suchen. Sie testete uns aus. Zuerst durfte ihr Jutta Hoffmann, ein großes, schweres, blondes Mädchen, der Liebling unserer Lehrerin, den Spallerhof zeigen. Sabrina kannte nicht einmal den Wasserwald, der fünf Minuten von der

Schule entfernt war. Dann lud sie die kleine Irene Obermayer, Tochter eines Bankdirektors, die neben meiner Sitznachbarin Gabi die Klassenbeste war, zu sich nach Hause ein. Leider war Irene ein so schweigsames Mädchen, dass sie auch auf unser Drängen hin nichts über das Haus und die Familie Sabrinas preisgab. Sie sagte nur, dass sie im Garten Federball gespielt hätten und dass es sehr nett gewesen sei. Als Dritte testete Sabrina Ulli Stelzer, unsere Klassenbeste in Turnen. Angeblich waren sie zusammen mit dem Fahrrad in der Trauner Au gewesen. Mich lud sie ein, mit ihr ins Hummelhofbad schwimmen zu gehen. Ich fragte mich sofort, wie sie auf mich gekommen war. An mir war überhaupt nichts Besonderes. Vielleicht lag es ja daran, dass ich die Einzige in der Klasse war, die ein Klavier zu Hause hatte. Leider. Unsere Lehrerin wies aber im Unterricht mehrmals darauf hin, dass wir ein Klavier zu Hause hätten. Gott sei Dank wollte Sabrina nicht zu mir nach Hause kommen. Womöglich hätte sie vorgeschlagen, dass ich ihr auf dem Klavier etwas vorspielen sollte. Das Hummelhofbad fand ich gut. Da kannte ich mich aus. Ich hatte extra meinen neuen rosa Bikini mit Rüschen mitgenommen. Sabrina trug einen braungrünen Badeanzug, der zu ihrer goldbraunen Haut passte. Das auffälligste an ihr war, dass ihre Körperproportionen stimmten. Sie war weder dick wie Angelika Wagner, noch eine Bohnenstange mit Rüschchen wie ich, sondern sie hatte eine schlanke, elegante Figur. Alles an ihr war ausgewogen. Keine zu langen Arme oder Beine, kein flacher oder stockerlartiger Hintern. Fast wie eine Erwachsene, nur ohne Busen. Ich kann mich nicht erinnern, von einem einzigen anderen Mädchen, weder aus der Schule noch aus unserem Hinterhof, je die Figur wahrgenommen zu haben. Sabrina war in jeder Hinsicht eine Ausnahme. Sie benahm sich wie eine Erwachsene, ohne affektiert zu sein, oder wie ein Kind, ohne kindisch zu sein. Sie war einfach anders als wir. Ganz oben auf dem rechten Oberschenkel hatte sie ein großes Muttermal, das aus irgendeinem Grund die Makellosigkeit ihres Körpers betonte. Als wir zum Schwimmbecken gingen, hatte ich den Eindruck, dass alle Menschen sie anstarrten. Ich kam mir sehr unbeholfen neben ihr vor. Während sie, ohne zu zögern, zum Sportbecken schritt, stakste ich unsicher neben ihr her. Am Sportbecken angekommen, steckte sie ihre Haare zu einem kleinen festen Knoten am Hinterkopf zusammen, duschte und sprang dann mit einem vollkommenen Kopfsprung ins Becken. Ich verfluchte mich, dass ich immer noch keinen Kopfsprung konnte und stattdessen wie ein Wetterfrosch die Leiter hinunterklettern musste. Dabei bibberte ich vor Kälte. Das Wasser im Sportbecken hatte nur 19 Grad. Sabrina schwamm rasch ein paar Runden und verließ ebenso rasch wieder das Becken. Ich hechtete ihr nach. »Warum hast du nicht geduscht?«, fragte sie, ohne sich nach mir umzudrehen. Ich stotterte etwas von unhygienischen Duschköpfen im Hummelhofbad, und dass ich bereits zu Hause geduscht hätte. Was nicht stimmte. Sabrina sagte nichts. Zurück auf unserer Decke, trank sie eine Flasche Wasser und aß einen Apfel. Ich hatte nichts mitgenommen. Ich wäre gar nicht auf die Idee gekommen, für die drei Stunden im Schwimmbad etwas zu trinken oder einen Apfel mitzunehmen. Stattdessen schlug ich vor, ein Cornetto-Eis am Schwimmbadkiosk zu kaufen. Das wiederum wollte Sabrina auf keinen Fall. Das Eis ist ja vorgefertigt, sagte sie. Sie äße nur frisches Eis. Und dann am liebsten Pistazie und Stracciatella. Beides hatte ich noch nie gegessen. Ich glaube, diese Eissorten gab es damals noch gar nicht in Linz. Und wenn, dann höchstens beim *Eiskönig* in der Innenstadt, wo ich so gut wie nie hinkam. Wir legten uns auf unsere mitgebrachten Decken und irgendwann bat Sabrina mich, ihren Rücken einzucremen. Ich war total verlegen. Sabrina war nicht der Typ, den man einfach berührte. Ich hatte nie beobachtet, dass sie sich in der Pause am Schulhof bei jemandem unterhakte oder gar, wie wir anderen, manchmal händchenhaltend, herumspazierte. Sabrina ging immer allein im Schulhof herum. Im Hummelhofbad hatte sie Nussöl mit Drehverschluss dabei. Ich stellte mich beim Öffnen der Flasche so ungeschickt an, dass ich aus Versehen Öl auf ihre Decke schüttete. Sabrina tat so, als hätte sie es nicht bemerkt, legte sich auf den Bauch und rollte die Träger ihres Badeanzuges ein Stück hinunter. Ich goss sehr vorsichtig ein wenig Nussöl in meine rechte Hand und begann ihre Schultern einzuölen. Die Wirkung war unglaublich. Zuerst dachte ich, ich hätte mich elektrisiert. Ich glaube, ich zuckte sogar einen Augenblick zurück, bis mir klar wurde, dass Öl auf keiner Haut eine elektrisierende Wirkung haben konnte. Um meine Verlegenheit zu überdecken, goss ich auch in meine linke Hand etwas Nussöl und begann dann, Sabrina mit beiden Händen zugleich einzureiben. Sie hatte eine unglaublich weiche, glatte, samtene Haut. Bis dahin hatte ich nur den Rücken meiner Eltern eingeölt. Die Haut meines Vaters war ledrig, die meiner Mutter schwabbelig. Wie sich meine eigene Haut anfühlte, konnte ich nicht beurteilen. Bestimmt nicht so fest und gleichzeitig elastisch wie die von Sabrina. Meine Hände wurden wie bei guten Masseuren augenblicklich heiß. Die Hitze aus den Händen verbreitete sich langsam auf meinen ganzen Körper und stieg bis in den Kopf. Mir wurde direkt ein wenig schwindlig und das ganze Hummelhofbad begann zurückzutreten und sich in diffusen Farben und Formen aufzulösen. Einzelne Laute verschwammen zu einem Rauschen und ich spürte die Sonne wohltuend auf meinem Körper. Ich war so begeistert von meiner Tätigkeit des Einölens, dass ich gar nicht bemerkte, dass Sabrina etwas zu mir gesagt hatte. Erst als sie sich ein wenig aufrichtete und laut und deutlich »Auch die Beine bitte!« sagte, begriff ich, wo ich war. Leider hatten ihre Beine die gleiche Wirkung auf mich, womöglich sogar noch stärker. Die Oberschenkel hinunter über die Kniekehlen, die Waden bis zu den zarten Füßen zu streichen, war überwältigend. Die Hitze erfasste jetzt jeden Teil meines Körpers. Er kribbelte und strebte nach etwas, das mir unbegreiflich war. Ich spürte den Wunsch, mich selbst einzuölen, und dann auf den eingeölten Körper Sabrinas zu legen, so dass wir uns wie glitschige Fische aneinander reiben würden. Dabei ekelte mir an sich vor Fischen. Aber warum tauchte dann dieser absolut irrsinnige Wunsch in mir auf? Nie in meinem ganzen bisherigen Leben hatte ich so etwas Widersinniges gewünscht. Ich bemerkte auch, dass ich außer Atem geriet und mein Herz immer schneller schlug. Plötzlich stand Theo neben uns und spritzte uns aus einer Wasserpistole an. »Seid ihr lesbisch oder was?«, fragte er und versuchte an meinem rosa Rüschenhöschen zu zerren. Ich wäre fast ohnmächtig geworden vor Wut. Trotz meiner sonstigen Scheu vor Theo, sprang ich auf, stieß ihn mit aller Kraft um, trat ihm in die Seite und schrie, er solle augenblicklich verschwinden. Theo sah mich mit weit aufgerissenen Augen an. Ich befürchtete schon einen epileptischen Anfall, aber er kroch bloß aus meiner Reichweite, sprang auf die Beine und lief weg. Im Weglaufen schrie er noch, dass er alles seiner Mutter erzählen würde. Nicht einmal das beeindruckte mich. Ich war viel zu stolz, dass ich den Störenfried vertrieben und Sabrina vor ihm geschützt hatte. Am liebsten wäre ich ihm nachgelaufen und hätte ihn noch ins Wasser geschubst. Sabrina drehte sich auf der Decke träge nach mir um. »Kennst du den Trottel?«, fragte sie mich und ich nickte. In dem Moment wusste ich, dass ich den Test nicht bestanden hatte.

In der folgenden Schulwoche wurde klar, dass Sabrina sich entschieden hatte. Ihre Wahl war ausgerechnet auf die kleine Irene Obermayer gefallen, deren weiße Haut über und über mit Sommersprossen gesprenkelt war. Wir drei anderen Kandidatinnen waren ratlos. Was fand dieses exotische, stolze Wesen nur an der schweigsamen, völlig unscheinbaren Irene Obermayer? Waren es die Gegensätze, die sich anzogen? Schwarz und weiß sozusagen, oder hatte Irene etwas, von dem wir nichts wussten? Irgendeine geheime Begabung oder Charaktereigenschaft? Aber egal, was wir mutmaßten, die beiden waren von da an unzertrennlich. Wenn Sabrina in der Pause mit aufrechter Haltung durch den Schulhof schritt, trippelte Irene Obermayer neben ihr her. Sie tauschten sogar mit ihren jeweiligen Banknachbarinnen und saßen von da an bis zum Ende der Volksschulzeit nebeneinander. Nach zwei Wochen marschierten sie nach der Schule gemeinsam entweder zu Sabrina oder zu Irene nach Hause. Wir anderen waren für die beiden Luft.

Mich beschäftigte Sabrina noch lange. Wenn ich abends im Bett lag, malte ich mir aus, dass ich ihre Freundin geworden wäre. Wir verbrachten wunderbare Tage in Sabrinas Villa auf dem Pöstlingberg. Sie hatte ein eigenes großes Zimmer mit Blick über Linz. In dem Zimmer saßen wir auf ihrem Doppelbett mit einer goldfarbenen Überdecke und Sabrina lernte Operntexte. Vom Musikzimmer ihrer Mutter klangen Klavierkonzerte bis zu uns hinauf, und vom Musikzimmer ihres

Vaters Geigenklänge. Oft lagen wir in der Wiese neben dem Swimmingpool und ich cremte Sabrinas Rücken ein, der so wunderbar samten war. Oder sie kam nach der Schule mit mir in unseren Hinterhof. Alle Kinder bewunderten mich für meine schöne Freundin. Sie aber beachtete niemanden außer mich. Nicht einmal Markus, der sich sehr bemühte, mit ihr ins Gespräch zu kommen. Abends begleitete ich sie oft ins Konzert. Manchmal übernachtete ich bei ihr und manchmal übernachtete sie bei mir. Dann sang sie mir abends vor dem Einschlafen italienische Lieder vor und rollte das R.

Im Hof lief ich eine Zeitlang ständig mit einer Flasche Nussöl herum und versuchte, alle einzuölen. Edda stellte sich zuerst zur Verfügung. Aber sosehr ich mich auch bemühte, es stellten sich weder heiße Hände noch irgendein Kribbeln ein. Im Gegenteil. Meine Hände waren so eiskalt, dass Edda zurückzuckte und mich bat, meine Hände aneinanderzureiben, bevor ich sie eincremte. Statt Kribbeln spürte ich Abneigung, das weiche, weiße Fleisch von Edda zu berühren. Schließlich goss ich die halbe Flasche Öl auf ihren Rücken – Edda hatte, ebenfalls auf dem Bauch liegend, sogar den Verschluss des Bikinioberteils geöffnet – und panschte in der öligen Masse herum. Die Sache ging so aus, dass Edda empört, das Bikinioberteil vor ihren Busen pressend, nach Hause lief, um sich gründlich zu duschen. Nur Sungard erklärte sich daraufhin noch bereit, von mir eingeölt zu werden. Ich verzichtete. Nachts im Bett stellte ich mir vor, ich würde Sabrina noch einmal berühren. Die Hitze stieg sogar in der Vorstellung in mir auf, verbreitete sich über meinen ganzen Körper, bis er schmerzte. Es war ein tiefer, durchdringender Schmerz. Ich fühlte, dass er an der Grenze zu etwas Vollkommenen lag, aber ich wusste weder, was dieses Vollkommene sein sollte, noch, wie ich es erreichen könnte. Schließlich betete ich verbissen bis in die Morgenstunden hinein, um arme Seelen aus dem Fegefeuer zu erlösen.

Mit der Zeit verblasste die Erinnerung an Sabrinas samtene Haut und tauchte erst Jahre später wieder auf, als der Altersunterschied zwischen Markus und mir geschrumpft war und wir uns hinter der Hecke auf dem versteckten Gehweg zwischen Muldenstraße und Eisenwerkstraße auf den spitzen Kieselsteinen wälzten.

Eines Tages im Sommer, als ich mit Hans, Edda, Theo und Emma im Hummelhofbad war, sah ich plötzlich Sabrina alleine auf einer Decke liegen und lesen. Wir kümmerten uns nicht um sie, sondern schwammen, aßen Eis und spielten Ball. Plötzlich kam sie mit einer Nussölflasche zu unserem Platz und bat mich, sie einzucremen. Ich lehnte ab.

Mit Sabrina schwand auch das Interesse an der Volksschule, die Vöestsiedlung rückte wieder ganz nahe und damit die Frage, wie wir uns an dem Herrn Bartik rächen könnten. Er hatte nämlich ein Rundschreiben verfasst, in dem unsere Eltern darauf aufmerksam gemacht wurden, dass Kinder aus dem Hinterhof seinen privaten

Steingarten zerstört hätten. Zerstört war natürlich maßlos übertrieben. Unser Ball war wieder einmal den Abhang hinuntergerollt, wo er seine Nelken und Edelweiß zwischen Steinen und Wiese gepflanzt hatte, und wir hatten den Ball selbstverständlich heimlich zurückholen müssen. Genauer gesagt, Theo hatte ihn zurückgeholt und war dabei in der Eile wahrscheinlich auf ein oder zwei Edelweiß oder Glockenblumen getreten. Zu unserer Verwunderung nahmen die Eltern das Rundschreiben ernst. Unter der Aufsicht von Herrn Frank wurde eine Versammlung im Hinterhof einberufen. Sogar einige Eltern waren dabei. Herr Frank ordnete an, dass sich alle Kinder in einer Reihe aufstellen sollten, und befragte dann jeden Einzelnen, wer den Steingarten von Herrn Bartik zertrampelt hatte. Natürlich schwiegen wir. Herr Frank empfand das, wie er sich ausdrückte, als Feigheit vor dem Feind und beschloss unter Zustimmung der anwesenden Eltern, dass in so einem Fall eine Kollektivstrafe angemessen sei. Ich wusste zuerst nicht, was er meinte, aber das wurde schnell klar, indem er uns erklärte, dass wir zwei Wochen lang sowohl Herrn Bartiks Steingarten als auch die gesamte Hofanlage pflegen sollten. Müll einsammeln, Rasen mähen, Büsche beschneiden, und so weiter. Das Ganze uferte beinahe in ein Fiasko aus. Wir waren nämlich von unserer neuen Aufgabe ziemlich begeistert. Niemand von uns hatte bis dahin mit Sense, Rechen, Gartenschere oder Säge hantieren dürfen. Markus mähte den Rasen im Hof mit solcher Heftigkeit, dass ihm die Sense ausrutsche und seine

Hose zerschnitt. Gott sei Dank verletzte er sich dabei nur leicht am Unterschenkel, musste aber, wegen der verrosteten Sense, sofort gegen Tetanus geimpft werden. Sungard, die unbedingt die Büsche beschneiden wollte, fiel dabei in einen Hagebuttenstrauch und zerkratzte sich das Gesicht. Emma verletzte sich an einem zurückschnellenden Ast am Auge, das infolgedessen zuschwoll. Ihre Mutter fürchtete um ihr Augenlicht. Theo, der von Herrn Bartik dazu verdammt wurde, den Rasen zwischen den Steinen im Steingarten mit der Küchenschere zu beschneiden, erlitt einen epileptischen Anfall und wälzte dabei sämtliche Steinnelken nieder. Basti, Ilse, Hansi und ich kletterten auf der Suche nach Müll zwischen den Sträuchern herum. Basti aß dabei eine aufgefundene halbe Semmel mit Leberkäse auf, der bereits grau war und streng roch. Die Eltern beobachteten uns mit Sorge und sprachen schließlich bei Herrn Frank und Herrn Bartik mit der Bitte vor, die Strafaktion wegen Gefährdung unserer Gesundheit augenblicklich abzubrechen. Herr Bartik und Herr Frank waren zwar dagegen, aber da sie wegen ihrer Arbeit in der Vöest keine Aufsicht über unsere Gartenarbeiten übernehmen konnten und sich sonst keine Eltern zur Verfügung stellen wollten, wurde die Aktion zu unserem Leidwesen eingestellt. Markus baute kurz darauf sein Baumhaus, in dem wir dann abwechselnd saßen und Bananenschalen trockneten, um sie zerbröselt zu rauchen, was aber scheußlich schmeckte. Theo sammelte in den Trauner Auen zweiunddreißig Nacktschnecken, die er nachts in Herrn Bartiks Steingarten aussetzte.

Die Angestellten der Vöestverwaltung bekamen zu Weihnachten riesige Pakete. Zumindest Herr Lindner neben uns. »Der Lindner hat schon wieder ein riesiges Weihnachtspaket bekommen«, sagte meine Mutter abends zu meinem Vater, »mit Kaffee, Tee, Schinken, Wein und Pralinen.« Ich wusste, dass meine Mutter irrsinnig gerne auch so ein Paket bekommen hätte. Warum, war mir nicht klar. Wir konnten doch selbst jederzeit Kaffee, Tee, Schinken, Wein und Pralinen kaufen. »Bestechungsversuche«, sagte mein Vater und rümpfte die Nase. Als ihn meine Mutter daraufhin fragte, warum eigentlich niemand versuchte, ihn zu bestechen, antwortete er, weil jeder wüsste, dass er nicht bestechlich sei. Mein Vater war so unbestechlich, dass er nicht einmal ein Parteibuch hatte. Das hatte er selbst zu meiner Mutter nachts, als sie glaubten, ich schliefe schon, gesagt. Ich war sehr stolz auf meinen Vater. Er war so unbestechlich, dass er nicht einmal ein Buch annahm.

Ein einziges Mal haben wir aber doch ein Weihnachtspaket bekommen. Dem Weihnachtspaket ging ein Besuch eines Ehepaares aus Wien voraus, das ein großes schwarzes Auto und einen Pudel hatte. Der Pudel konnte tanzen und bis fünf zählen. Wenn man ihm ein Stück Würfelzucker über den Kopf hielt, stellte er sich auf die Hinterbeine und bellte einmal. Dann bekam er das Stück Würfelzucker. Hielt man ihm zwei

Würfelzucker über den Kopf, bellte er zweimal. Und so weiter. Irgendwie war mir der Pudel unsympathisch. Vielleicht lag es daran, dass sie ihn rasiert hatten und nur auf dem Kopf und rund um die Pfoten jeweils ein Büschel schwarzer Locken prangte. Der Herr aus Wien und seine Frau waren mir auch nicht sympathisch. Er war sehr braun im Gesicht, obwohl schon November war. Außerdem hatte er graumelierte Haare und trug ein schneeweißes Hemd zu einer schwarzen Anzughose. Seine Frau war viel jünger als er und trug Hosen, was zu dieser Zeit für eine Frau völlig ungewöhnlich war. Beide grinsten die ganze Zeit.

Als der Paketzusteller kurz vor Weihnachten läutete und meiner Mutter ein so großes Paket in die Wohnung stellte, dass sie es gar nicht hätte allein transportieren können, wusste ich aus irgendeinem Grund sofort, dass das Paket nur von dem unsympathischen Ehepaar aus Wien kommen konnte. Meine Mutter und ich packten es im Wohnzimmer aus. In dem Paket befanden sich Esswaren, die ich noch nie gesehen hatte: Datteln, ein Glas mit eingelegten Artischocken, glacierte Kastanien, Gänseleberpastete. Der Schinken war auch anders als der Schinken beim Kolczak. Man kaufte dort zehn oder zwanzig Dekagramm Schinken, und die Verkäuferin schnitt die Scheiben mit der Wurstschneidemaschine von einem größeren Stück ab. In unserem Weihnachtspaket war aber eine ganze Keule. Eingeschweißt. Er schmeckte dann auch viel besser als der Schinken vom Kolczak. Ich muss gestehen, dass ich mich da doch freute, dass mein Vater nicht ganz unbestechlich war.

Seitdem hing meine Mutter in der Vorweihnachtszeit ständig vor dem Guckloch in unserer Wohnungstür. »Vati ist eben überkorrekt«, sagte sie seufzend zu mir, was mich damals maßlos ärgerte. Später dann begriff ich, dass sie Recht hatte. Mein Vater hatte nämlich Prinzipien, die mir mit zunehmendem Alter immer lästiger wurden. So war es zum Beispiel eines seiner Prinzipien, dass Kleidung zwar einfach, aber niemals schmutzig oder zerrissen sein durfte. Und wie jeder weiß, ist eine Jeans nur dann wirklich cool, wenn sie schmutzig und zerrissen ist. Ein weiteres seiner Prinzipien war, dass man immer die Wahrheit sagen musste. Nur dass er sich selbst nicht daran hielt. In Wahrheit wollte er nämlich am Sonntag gar nicht in die Kirche gehen, sondern tat es nur, weil er jeden Streit mit meiner Mutter vermeiden wollte. Dass er das Parteibuch der SPÖ nicht wegen seiner grundsätzlichen Unbestechlichkeit nicht angenommen hatte, sondern weil sein Antrag aufgrund seiner politischen Vergangenheit so lange geprüft worden war, bis er, verärgert darüber, auf das Parteibuch verzichtete, bekam ich erst sehr viel später heraus. Ein Weihnachtspaket haben wir jedenfalls nie mehr bekommen.

So viel wusste ich aber schon seit meiner frühesten Kindheit in der Vöest-Siedlung: Der Schlüssel zu allem war die Vöest, und die Vöest war ein verstaatlichter Betrieb. Das hatte ich von Markus, der es von seinem Vater hatte. Verstaatlichte Betriebe waren sozialistisch.

Das hatte wiederum mein Onkel Otto gesagt, der als Oberinspektor in der Landesregierung arbeitete. Mein Onkel Otto und die Landesregierung waren gegen die verstaatlichte Industrie, weil der Einzelne in der verstaatlichten Industrie keine Eigeninitiative entwickelte. Wieso eigentlich nicht, sagte er nicht. Onkel Otto war auch der Meinung, dass es mit der Vöest nicht gutgehen könnte. Eines Tages, sagte er zu meinem Vater, seid ihr pleite. Das habt ihr dann von eurem Klassenkampf. Rätsel über Rätsel. Es war damals in den sechziger Jahren äußerst schwierig, verständliche Antworten auf vernünftige Fragen zu bekommen. Frage: Was ist ein Parteibuch? Antwort: Das verstehst du noch nicht. Frage: Was heißt verstaatlicht? Antwort: Das verstehst du noch nicht. Frage: Was ist Klassenkampf? Antwort: Das verstehst du noch nicht.

Aber ich bekam auch ohne Antworten auf meine Fragen heraus, wer hinter dem Klassenkampf steckte: die Mütter. Zuerst ließen sie sich das Ding der Väter ohne Coitus interruptus oder Knaus-Ogino in den Leib stecken und die Babypaste einspritzen, bekamen Kinder, damit sie nicht mehr arbeiten mussten, und dann kämpften sie ständig darum, wer die beste Frisur oder das größte Auto hätte, wer wohin in Urlaub fuhr oder wer schon einen Fernseher hatte und wer nicht. Den Vätern war der Klassenkampf ziemlich egal, es waren die Mütter, die diese Dinge unnötig aufplusterten.

Ich bekam auch den Grund für die unterschwellig brodelnden Klassenkämpfe heraus: Die Mütter hatten nichts zu tun. Das bisschen Kochen und Wäschewaschen füllte sie nicht aus. Aus reiner Langeweile versuchten sie, die Väter und infolge davon auch die Kinder der Väter gegeneinander auszuspielen. Wahrscheinlich spielte auch die Sache mit der Menstruation eine gewisse Rolle. Eine schreckliche Erkenntnis, dem gleichen Geschlecht anzugehören! Schließlich tröstete mich die Grammatik: Der Mann, die Frau, das Kind. Nein, diesem bösartigen Geschlecht gehörte ich (noch) nicht an. Gott sei Dank! Ich wandte mich nun mehr dem männlichen Geschlecht zu. In Gestalt meines Vaters.

Mein Vater arbeitete als Bilanzbuchhalter in der Generaldirektion der Vereinigten Österreichischen Eisen- und Stahlwerke. Ich lernte schnell, dass die beiden Wörter Bilanzbuchhalter und Generaldirektion von großer Bedeutung waren. Sagte ich, beispielsweise in der Schule, mein Vater sei Buchhalter, war kein Mensch daran interessiert. Sagte ich aber, er sei Bilanzbuchalter in der Generaldirektion der Vöest, erntete ich anerkennende Blicke. Nachdem ich die Generaldirektion der Vöest persönlich in Augenschein genommen hatte, verstand ich sofort, warum. Die Generaldirektion der Vöest lag auf einer Anhöhe, was schon einmal ihre absolute Bedeutung signalisierte. Eine Auffahrtsrampe führte zum imposanten Eingang. Wozu sie gut war, wusste ich nicht. Mein Vater ging jedenfalls immer zu Fuß zur Arbeit. Es waren ja nur fünf Minuten von unserer Wohnung. Der Eingang zur Generaldirektion war hoch und breit. Die beiden Türflügel bestanden aus sehr dickem Glas mit Messingbeschlägen zur Mitte hin. Es kostete mich einige Anstrengung, einen Flügel zu öffnen. Direkt hinter der Glastür befand sich ein Glashäuschen, in dem ein Portier saß, der offenbar auf mein Kommen vorbereitet war. Jedenfalls ließ er mich anstandslos passieren. Mein Vater arbeitete im vierten Zimmer rechts im Parterre.

Wir hatten verabredet, dass ich ihn um fünf Uhr abends von der Arbeit abholen durfte. Zuerst hatte er vorgeschlagen, dass ich vor dem Eingangstor auf ihn warten sollte, aber ich wollte unbedingt in die Generaldirektion hinein. Aus irgendeinem Grund war meine Mutter dagegen, aber mein Vater erlaubte es schließlich, nachdem er mir eingeschärft hatte zu klopfen, bevor ich das Büro betrat. Was ich auch tat. Das Büro gefiel mir auf Anhieb. Allein der Geruch. Schon als ich die Tür nur einen Spalt geöffnet hatte, schlug mir ein wunderbarer Duft aus Tinte, Holz und Staub entgegen. Ich hatte noch nie so große und hohe Räume gesehen. Außer in der Kirche. Nicht nur, dass vier gewaltige dunkle Schreibtische in der Mitte zu einem Quadrat zusammen geschoben worden waren, sodass sie eine dunkle Insel im unermesslichen Ozean des Büros bildeten, es stand auch auf jedem von ihnen ein schwarzes Telefon auf einem Podest, das mit einem schwenkbaren Teleskoparm dorthin gezogen werden konnte, wo der jeweilige Büroangestellte sich gerade aufhielt. Ich konnte mir lebhaft vorstellen, was in dem Büro meines Vaters zu den Dienstzeiten los war. Stets klingelten die Telefone, die dann in alle möglichen Richtungen hin- und hergeschwenkt wurden, wobei sich der jeweils Telefonierende auf seinem Schreibtischdreh- und Rollsessel an den Teil des Schreibtisches drehte und rollte, wo der benötigte Ordner stand oder Notizblöcke oder Listen von Zahlen lagen, die es zu kontrollieren galt. Vor den beiden hohen Fenstern waren Jalousien heruntergezogen. Durch die Lamellen fiel Licht in das Büro meines Vaters und verwandelte die gewaltigen Schreibtische in vier grasende Zebras in der Steppe. An der Rückwand der Steppe standen unzählige dicke Ordner: Die ganze Vöest musste in ihnen enthalten sein. Ich war wie geblendet von dem Arbeitsplatz meines Vaters. Es war auf den ersten Blick ersichtlich, welche wichtige Rolle mein Vater für die Vöest spielen musste. Die Rechenmaschine, der überdimensionale Locher, die gewaltige Schreibmaschine, die Lineale in allen Größen, Bleistifte in allen Härtestufen, Radiergummis, Hefter, dicke Ordner, Papier, darunter sogar farbiges in Hülle und Fülle, das alles stand meinem Vater kostenlos zur Verfügung. Wir waren allein, seine drei Mitarbeiter waren schon heimgegangen. Ich durfte mich an einen der riesigen dunklen Schreibtische setzen (mein Vater schraubte extra für mich den Schreibtischsessel hoch) und auf der Rechenmaschine meines Vaters tippen. Mein Entschluss stand fest: Sollte ich jemals gezwungen sein, zu arbeiten, dann in einem Büro. Am liebsten wäre ich mit meinem Vater auf der Stelle in das Büro eingezogen und nie mehr in unsere Wohnung zurückgekehrt. Eine Küche hätten wir nicht gebraucht, es gab eine Kantine in der Generaldirektion der Vöest. Meinem Vater zufolge befanden sich im ersten Stock des Gebäudes sogar Badezimmer mit Duschen, falls wichtige Sitzungen einmal eine ganze Nacht lang dauern sollten. Betten hätten wir keine gebraucht. Zwei zusammengeschobene gewaltige Schreibtischstühle (Ledersessel) hätten ein bequemes Bett ergeben. Ich verstand nun, wieso mein Vater so oft Überstunden machte. Wer wollte schon ein so herrliches Gebäude ohne Grund verlassen. Gleich bei meinem ersten Besuch im Büro meines Vaters lernte ich Herrn Dr. Beil kennen, der im Nebenraum Überstunden machte. Er hatte uns wohl reden gehört und betrat nach kurzem Klopfen das Büro meines Vaters. Er war älter als mein Vater, außergewöhnlich groß und dünn und trug eine dicke schwarze Brille. Der Anzug schlotterte an seinem Leib. Der Herr Dr. Beil gab mir die Hand und setzte sich dann an den Rand meines Schreibtisches. Ich bemerkte sofort, wie er meinen Vater schätzte. Er erzählte, dass sein Sohn, der bereits in die Oberstufe des Gymnasiums ging, gerade wieder einmal einen Deutschaufsatz mit zehn Fehlern geschrieben hatte. Ein glatter Fünfer, sagte Dr. Beil und lachte. Ich war fassungslos. Nicht nur, dass das Büro meines Vaters und Dr. Beil alle Maßstäbe sprengten, die mir bis dahin bekannt waren, auch Schulnoten schienen in dieser Welt keine Rolle zu spielen. Sonst hätte er nicht gelacht. Er schenkte mir dann persönlich zwei Buchkladden, in die ich später meine ersten beiden

Romane »Wendy« und »Du unerforschter, undurchdringlicher Dschungel« schreiben sollte. Außerdem einen Stoß buntes Papier, zwei Bleistifte, einen Spitzer, einen Radiergummi und einen leeren Ordner. Solchermaßen beschenkt, kam ich mit meinem Vater von meinem ersten Besuch im Büro meines Vaters zurück. Meine Mutter stand schon auf unserem Balkon und wartete. »Das Essen ist kalt geworden«, rief sie vom Balkon zu uns hinunter. Es klang vorwurfsvoll. Aber ich bekam an diesem Abend keinen Bissen hinunter. Mich beschäftigte die Frage, warum man mir den Arbeitsplatz meines Vaters bis zu diesem Zeitpunkt vorenthalten hatte. Als wäre diese Welt nicht für mich bestimmt.

Zwanzig Jahre später war tatsächlich der einzige Beruf, den ich neben dem Beruf des Schriftstellers kurz ausübte, der einer Sekretärin im Büro der Rechtssoziologie an der Universität Salzburg. Leider war ich völlig unbegabt als Sekretärin. Also blieb ich bei der Schriftstellerei.

Nachdem ich das Büro meines Vaters kennengelernt hatte, holte ich ihn, so oft ich durfte, vom Büro ab. Meine Mutter versuchte, das immer zu verhindern. Unerklärlicherweise. Sie hatte ja selbst vor ihrer Heirat mit meinem Vater in der Generaldirektion der Vöest gearbeitet. Musste also wissen, wie herrlich Büros waren. »Was willst du denn im staubigen Büro von Vati«, sagte sie oder sie sagte: »Geh doch lieber in der frischen Luft im Hof spielen!« Ich wollte aber nicht im Hof spielen, sondern meinen Vater vom Büro abholen.

Einmal, als ich knapp davor war, den Eingang der Generaldirektion zu passieren, hielt eine schwarze Limousine vor dem Eingang der Generaldirektion. Der Pförtner stürmte aus seinem Glashaus nach draußen und drängte mich mit ausgestrecktem Arm zur Seite. Ein richtiger Chauffeur mit Uniform und Mütze riss die Tür zum Fond der schwarzen Limousine auf und ein dicker alter Mann mit einem Aktenkoffer stieg aus. »Der Generaldirektor hat Vortritt«, flüsterte der Portier mir zu. Ich wusste sofort, dass er Unrecht hatte. Der Generaldirektor hätte mir als Tochter seines besten Bilanzbuchhalters bestimmt den Vortritt gelassen, wenn er gewusst hätte, wer ich war. Was er unmöglich wissen konnte. Noch dazu, weil er mich hinter dem Portier wahrscheinlich gar nicht bemerkte. Der Generaldirektor, der es bestimmt wahnsinnig eilig hatte, weil er wichtige Dinge in seinem Büro erledigen musste, trat raschen Schrittes durch einen Flügel der von seinem Chauffeur weit geöffnete Eingangstür aus Glas und verschwand auf dem dunklen Treppenaufgang in den ersten Stock. Ich habe heute noch in Erinnerung, dass der Portier salutierte, aber vielleicht bilde ich mir das nur im Nachhinein ein.

Die anderen Kinder taten mir leid, weil meines Wissens niemand seinen Vater von der Arbeit abholen durfte. Es arbeitete ja außer meinem Vater nur Herr Lindner in der Generaldirektion, und der hatte keine Kinder. Die Chemiker und Ingenieure aus unserer Siedlung arbeiteten alle in Gebäuden auf dem riesigen

Fabrikgelände an der Donau, wo es stank und wo aus Schloten von Zeit zu Zeit schwarze, violette oder gelbe Wolken schossen. Es war für alle Außenstehenden strengstens verboten, das Vöestgelände zu betreten. Es gab einen Bus in die Innenstadt, der durch das Vöestgelände führte. Alle Arbeiter, die in die Arbeit fuhren, mussten an einer Schranke aussteigen, wo ihre Ausweise kontrolliert wurden. Der Bus fuhr dann ebenfalls durch die Schranke, hielt aber nicht auf dem Gelände. Erst nachdem er eine zweite Schranke passiert hatte, durften die dort Wartenden, die gerade von der Arbeit in der Vöest kamen, einsteigen.

Die Themen der Aufsätze, mit denen unsere Lehrerin uns ausspionierte, wurden immer durchsichtiger. »Mein Vater«, »Meine Mutter«, »Unser Urlaub«. Ihr Ziel war, den Klassenkampf in die Volksschule zu tragen. Was auch gelang.

Der Vater von Gabi war Arbeiter in der Vöest. Sie wohnten in der Nähe der Vöestsiedlung, in dem damals einzigen Hochhaus direkt an der Muldenstraße. Wahrscheinlich hatte ich eine Hausaufgabe nicht richtig von der Tafel abgeschrieben, oder ich hatte beim Rechnen nicht aufgepasst. Jedenfalls wollte ich Gabi, die meine Sitznachbarin in der Schule und außerdem eine der besten Schülerinnen war, etwas wegen der Hausaufgabe fragen. Man musste in meiner Kindheit einen Grund haben, wenn man Freunde oder Schulkollegen in der Wohnung besuchte. Es war nicht so wie heute, wo die Kinder kreuz und quer durch die Städte chauffiert werden, um bei verschiedenen Freunden zu spielen oder gar außerhalb des Elternhauses zu übernachten. In meiner Kindheit wurde man meistens an der Wohnungstür abgefertigt. Niemand wollte damals fremde Kinder in der Wohnung haben. Der Gedanke allein, dass die Eltern von Gabi die Tür öffnen würden, nachdem ich geläutet hatte, trieb mir den Schweiß auf die Stirn. In dem Hochhaus, in dem Gabi wohnte, gab es einen Lift. Das hatte sie mir selbst erzählt. »Gott sei Dank«, hatte sie gesagt, »haben wir einen Lift. Wir wohnen nämlich im siebten Stock. Das sind vierundachtzig Stufen.« Der Lift war gleich neben der Haustür links. Ich war bis dahin noch nie mit einem Lift gefahren und überlegte eine Weile, ob ich nicht lieber die vierundachtzig Stufen zu Fuß gehen sollte, entschied mich dann aber doch für das Wagnis, mit dem Lift zu fahren. Weil ich mit der Möglichkeit rechnete, dass der Lift stecken bleiben könnte, und ich nach einigen Stunden, im Lift eingesperrt, die Luft aufgebraucht hätte und schließlich jämmerlich ersticken würde, war ich schweißgebadet, als er, ohne stecken zu bleiben, im siebten Stock anhielt. Ich blieb eine Weile vor der Wohnungstür stehen, um mich abzukühlen und für den Besuch zu wappnen. Wahrscheinlich roch ich auch unter meinen Achseln, ob ich nach Schweiß stank. Es war mir damals furchtbar peinlich, fremde Eltern oder ältere Brüder zu begrüßen. Ich überlegte schnell, wie ich Gabis Mutter, falls sie die Tür aufmachte, meinen Besuch erklären würde. Daran, dass vielleicht sogar ihr Vater die Tür aufmachen könnte, wollte ich gar nicht denken. Es war einfach zu peinlich. Nachdem ich, mein Hausaufgabenheft fest unter einen Arm geklemmt, an der Wohnungstür geläutet hatte, machte aber nur Gabi die Türe auf. Gott sei Dank war sie allein in der Wohnung. Ihre Eltern seien arbeiten und ihr älterer Bruder noch in der Schule, sagte sie. Ich war sehr gespannt auf die Wohnung. Wir gingen ins Wohnzimmer, wo ein Esstisch stand, an dem Gabi und ihr Bruder auch die Hausaufgaben machten. Sonst stand nur eine ähnlich schlammfarbige Couch wie unsere und ein riesiger Schrank in dem Wohnzimmer. Gabi sagte, dass man einen Teil des Schrankes aufklappen könne, dahinter seien die Betten ihrer Eltern. Im Kinderzimmer, das sie mit ihrem Bruder teilte, stand ein Doppelbett mit einer Holzwand dazwischen. Die hatte ihr Vater aufgestellt, als der Bruder dreizehn Jahre alt geworden war. Mir kam das alles sehr praktisch vor. Besonders das aufklappbare Elternbett. Wenn meine Eltern im Wohnzimmer auch so einen Klappbettschrank aufstellen würden, überlegte ich, könnte ich in ihr Schlafzimmer ziehen, das viel größer war als mein Kinderzimmer. Das mit dem Holzbrett zwischen Gabi und ihrem Bruder war auch genial. Ich hätte gerne einen älteren Bruder gehabt, mit dem ich mich über ein Holzbrett zwischen uns nachts hätte unterhalten können. In der Wohnung meiner Schulkollegin Gabi gab es dann noch eine kleine Küche und ein kleines Bad.

Die Wohnung von Gabis Eltern fiel mir wieder ein, nachdem die Lehrerin meinem Vater mitgeteilt hatte, dass ich die Reife fürs Gymnasium hätte, aber Gabi nicht, weil sie aus Arbeiterverhältnissen stamme. Ich konnte es nicht fassen. Obwohl Gabi viel besser in der Schule war als ich, sollte sie in die Hauptschule gehen. Mein Vater war auch der Ansicht, dass Gabi ins Gymnasium wechseln sollte und keinesfalls in die Hauptschule, und redete deshalb öfter mit unserer Lehrerin. Mit Erfolg. Mein Vater konnte sehr gut mit Lehrerinnen umgehen. Schließlich ist Gabi mit mir ins Gymnasium Hamerlingstraße gewechselt, wo wir von Anfang an nebeneinander saßen. Gabi wurde meine beste Freundin, bis ich achtzehn Jahre alt war.

Als ich Gabi später einmal mitnehmen durfte bei unserem Urlaub in Essen, verliebte sich mein Cousin Nils augenblicklich in sie. Aber sein Bruder, der mit seinem Schmollmund, den hohen Backenknochen und der blonden Haartolle ein wenig an James Dean erinnerte, spannte sie ihm aus. Ich glaube, Nils hat ihm das nie verziehen.

Ich kann mir nichts Schlimmeres vorstellen, als den ganzen Tag stehen zu müssen wie mein Cousin Nils seit seinem fünfzigsten Lebensjahr. Er hat mir später einmal erzählt, dass er auch stehend in der Gewürzfirma, in der er Prokurist war, gearbeitet hat. An einem Stehpult. Alle seine Besorgungen hat er stehend auf dem Segway erledigt. »Ich war sogar in der Matratzenabteilung von Horten mit dem Segway«, hat er gesagt und gelacht. »Kannst du dir vorstellen, wie die dort geschaut haben.« Er lese naturgemäß auch stehend.

Ich liege am liebsten im Bett. Besonders beim Lesen. Das war schon immer so. Nachdem ich das Lesen anfangs ziemlich mühsam fand, bekam ich heraus, dass, im Bett liegend und Süßigkeiten essend, das Lesen leichter fällt. Aber vielleicht hat es ja auch nur an den Büchern gelegen, die meine Mutter mir kaufte, dass mir das Lesen anfangs so schwerfiel. Ich bekam alle »Nesthäkchen«-Bände und anschließend alle Bände von »Trotzkopf«. Was einem damals vorgesetzt wurde, das kann man sich heute ja gar nicht mehr vorstellen: Kinder, die nicht einmal alleine spielen durften. Sie hatten entweder ein Kindermädchen (Nesthäkchen) oder einen Verlobten (Trotzkopf), das oder der sie ständig bevormundete. Wenn sie nicht haargenau befolgten, was die Kindermädchen oder die Verlobten ihnen befahlen, dann gerieten sie entweder in Lebensgefahr – Nesthäkchen verirrt sich bei Ebbe im Wattenmeer – oder sie wurden verlassen wie Trotzkopf von ihrem Verlobten Leo, einem Assessor, was immer das sein mochte, bevor sie sich schließlich seinen Befehlen beugt, ihre Haare abschneidet, die Nägel putzt und stricken lernt. Gott sei Dank waren meine Eltern Mitglieder der Büchergilde und bekamen, ob bestellt oder nicht, regelmäßig Bücher zugesandt, die sie meines Wissens nie lasen. Aber ich. Es waren so spannende Titel wie »Strafende Sonne, lockender Mond« darunter oder »Wo die Windrose blüht«. Mit der Zeit fiel mir auf, dass verschiedene Bücher plötzlich aus dem Bücherschrank meiner Eltern verschwanden. Das Rätsel löste sich erst, nachdem ich irgendwann die Geheimtruhe meines Vaters im Keller entdeckt hatte. Sie war mit einem Poster von Brigitte Bardot im Lederbikini beklebt. »Die Frauen der Greenshields« war das erste Buch, das ich heimlich aus der Geheimtruhe meines Vaters nahm und dann in meinem Bett unter der Bettdecke mit Taschenlampe las. Heute meine ich mich zu erinnern, dass es dabei um Sadomaso-Praktiken ging, was ich naturgemäß als Kind nicht gekannt haben konnte. Ich weiß nur, das Buch beeindruckte mich ungemein. Es zeigte mir klar auf, dass es noch Dinge gab, die sich mir erst nach und nach erschließen würden. Erst relativ spät in meiner Kindheit bekam ich »Pippi Langstrumpf« und »Die Kinder aus Bullerbü« geschenkt. Aber merkwürdigerweise berührten mich diese Bücher in keiner Hinsicht. Ich mochte die anarchischen Banden aus Bullerbü nicht, denen sozusagen ständig die Rotzglocke unter der Nase hing. Pippi Langstrumpf war für mich nichts als eine Aufschneiderin. Also las ich weiter die Bücher aus dem Bücherschrank meiner Eltern und der Geheimtruhe meines Vaters, die in beiden Fällen meistens von irgendwelchen Liebesverwicklungen handelten. Die Bücher in der Geheimtruhe hatten allerdings Passagen, die ich nicht verstand, aber umso interessanter fand. Es tut mir heute noch leid, dass ich damals nicht Karl May gelesen habe. Ein paar Bände standen im Bücherschrank meiner Eltern. Mein Vater hätte mir, wenn ich ihn dazu gedrängt hätte, sicherlich alle Bände geschenkt. Er hatte als Jugendlicher selbst Karl May gelesen, der, wie er mir einmal erzählte, damals verboten gewesen sei. Sein Religionslehrer habe ihm aber heimlich Karl May geliehen. Vielleicht war es die Sache mit dem Religionslehrer, die mich damals davon abhielt, Karl May zu lesen. Oder nur die Tatsache, dass ich ein Mädchen war. Schade! Was für Abenteuer hätte ich erleben können. Ich hätte die Wüste auf Kamelen durchreiten können, wäre mit einem Pferd durch enge Täler galoppiert, während sich hinter den schroffen Felsen je nachdem Indianer oder Soldaten versteckten, die ihre Pfeile oder ihre Gewehre auf mich gerichtet hätten. Aber wer einmal mit »Nesthäkchen« angefangen hat, liest keinen Karl May mehr.

Gott sei Dank hat es in meiner Kindheit in Österreich noch keine Barbies im Handel gegeben. Meine Mutter wäre dafür garantiert anfällig gewesen. Ich hätte sicherlich zu Weihnachten, zu Ostern und zu meinem Geburtstag Barbies geschenkt bekommen, die meine Mutter dann so lange hübsch angekleidet und frisiert hätte, bis ich selbst womöglich auch meine Zeit damit verschwendet hätte, die Barbies zu frisieren und umzuziehen. Am allerschlimmsten wäre das rosarote Barbie-Haus gewesen, in dem die Barbie dann entweder auf ihrem rosa Sofa gelegen oder in ihrer rosa Küche gekocht hätte. Barbies kann man ja nicht erziehen, weil sie ohnehin schon erwachsen sind, man kann sie deshalb auch nicht so richtig bestrafen, und schon gar nicht kann man sie in den Urwald mitnehmen, weil sie sich sonst ihre Kleider schmutzig machen. Womöglich hätte so eine Barbie meine ganze Kindheit verändert und infolge davon womöglich mein ganzes Leben.

Die Frage ist, ob ein Wesen, das in seiner Kindheit exzessiv mit Barbies gespielt hat, später überhaupt Urwaldforscher oder Schriftsteller werden kann. Oder wird es nicht zwangsläufig Modedesignerin, Hausfrau oder Köchin? Ich glaube ja. Gerade das Alter zwischen sieben und zehn Jahren ist ja enorm prägend. In dieser Zeit machen wir unsere wichtigsten Erfahrungen, was soziale Kontakte angeht (Wettpinkeln, Marterpfahl, Kriegspfad), sexuelle Praktiken (Doktorspiele, Analphasen, Wettpinkeln), philosophische Exzesse (Himmelfahrt, Märtyrertum, Wettpinkeln) und Machtgefüge (ungerechte Eltern, blonde Kinder bevorzugende Lehrerinnen und noch einmal Wettpinkeln).

Als ich in Italien lebte, habe ich oft ein Nachbarkind beobachtet, das Tag für Tag mit einer Unzahl Barbies spielte. Es war unglaublich. Das Mädchen hieß Shirly. Wenn Shirly aus der Schule kam, zog sie sich um und kam mit einer Sporttasche, in der sich ihre Barbies und deren Kleidung befanden, zu der Bank auf dem kleinen Platz, an dem auch meine Wohnung lag, und zog die Barbies an und wieder aus und wieder an und wieder um. Die Barbies hatten Regen- und Übergangs- und Wintermäntel, lange und kurze, enge und weite Hosen und Röcke, Cocktailkleider, Ballkleider, Sommer- und Winterkleider, Küchenschürzen, Bikinis, Schlafanzüge, Shorts, Pelzjacken, Anoraks. Und zu jeder Kleidung hatten sie passenden Schuhe und Hüte und Handtaschen. Meistens kamen irgendwann auch andere Mädchen mit ihren Barbies dazu und sie alle zogen ihre jeweiligen Barbies an und aus und wieder an. Die Mädchen unterhielten sich jeweils kaum, sie machten keinen Lärm und liefen nicht schreiend herum. Es war ein friedliches Bild, wenn sie im Sommer still ihre Barbies umzogen und die Sonne schien in ihre Haare, die dann schwarz oder rot oder dunkelblond aufleuchteten. Niemand, der als Kind schon in solchem Frieden lebt, wird Schriftsteller.

Wahrscheinlich hassten sich meine Eltern. Edda jedenfalls sagte, alle Eltern würden sich hassen.

Am auffälligsten war der gegenseitige Hass eigentlich bei allen Arten von Feiern. Zumal da auch immer Alkohol im Spiel war. Zunächst fing alles ganz harmlos an. Mein Vater besorgte Salzstangen, Chips und Sekt, meine Mutter legte ihre Joghurt-Gurkenmaske auf und wusch sich die Haare. Je nach Anlass wurde sogar die Wohnung geschmückt. Zum Beispiel zu Weihnachten, zu Silvester, zu Ostern oder im Fasching. Es wurde dann Lametta am Baum nachgerüstet, Marzipanschweine auf unserer Wohnzimmerkommode aufgestellt, ausgeblasene Eier an blühende Ostersträucher gehängt oder Faschingsschlangen und bunte Lampions an Wäscheleinen im Wohnzimmer befestigt. Mein Vater holte den schmiedeeisernen Weinspender mit der Glaskaraffe aus dem Einbauschrank mit der indirekten Beleuchtung im Kabinett und mithilfe einer Leiter die geschliffene Bowle-Glasschüssel aus dem obersten Fach (direkt neben dem Klistiergerät). Während meine Mutter je nach Anlass Herings- oder Kartoffelsalat, russische Eier oder Malakofftorte herstellte, setzte mein Vater die Bowle an. Da kam es bereits zu ersten Unstimmigkeiten. »Nicht zu viel Rum«, sagte meine Mutter und mein Vater fügte zu Wein und Sekt noch schnell einen weiteren kräftigen Schuss Rum hinzu. Das Obst legte er, bevor er es der Bowle hinzufügte, noch extra in Kirschschnaps ein. Kurz, unsere Bowle war bestimmt ein Hammer. Meistens waren alle Beteiligten an der jeweiligen Feier sehr schnell betrunken. Besonders mein Vater, der am schnellsten trank, um, wie er sagte, in Stimmung zu kommen. Die Stimmung, in die er dann kam, mochte meine Mutter aber gar nicht. Er erzählte von seinen Heldentaten als Schüler, der den Lehrern bereits grammatikalische oder mathematische Fehler nachgewiesen hatte, oder wie er als junger Erwachsener zur Abhärtung im Winter ein Loch ins Eis gehackt und splitterfasernackt im Teich untergetaucht war. Meine Mutter stand, während er diese Geschichten erzählte, entweder auf und verschwand in der Küche, um irgendetwas vorzubereiten, oder sie drehte den Kopf demonstrativ weg. Ich wusste immer schon, dass es nicht nur daran lag, dass mein Vater immer die gleichen Geschichten erzählte. Sie mochte die Geschichten selbst nicht. Sie mochte das gesamte Leben meines Vaters, das er geführt hatte, bevor sie sich kennenlernten, nicht. Am allerwenigsten mochte sie die Witze, die er zu fortgeschrittener Stunde erzählte, und die immer schlüpfriger wurden. Ich verstand zwar die meisten Witze gar nicht, bemerkte aber sehr wohl, dass der Gesichtsausdruck meinem Vater, der über seine eigenen Witze Tränen lachte, immer mehr entglitt, während der meiner Mutter sich festigte. Sie bekam schmale Lippen, die sie zusammenkniff, und schüttelte immer öfter den Kopf.

Eines Abends kam mein Vater mit einem riesigen, schneeweißen Verband vom Völkerballspielen im Turnverein nach Hause. Er war mit dem Kopf eines anderen Völkerballspielers zusammengestoßen, der aber seltsamerweise kaum eine Verletzung davongetragen hatte. Die Platzwunde meines Vaters war bereits im Krankenhaus genäht worden. Ich war sehr beeindruckt von dem Verband meines Vaters, meine Mutter war entsetzt. Sie war immer schon gegen den Turnverein gewesen. Auch gegen die Sauna Samstag vormittags. Sie fand sowohl den Turnverein als auch die Sauna lebensgefährlich. Zumal mein Vater bereits einen Herzinfarkt gehabt hatte. »Du hättest eine Gehirnerschütterung haben können«, sagte sie, statt froh zu sein, dass mein Vater bloß eine Platzwunde beim Völkerballspielen davongetragen hatte. Oder: »Du könntest in der Sauna tot umfallen.« Überhaupt nahm meine Mutter stets das Schlechteste an. Wenn eine Wolke am Himmel auftauchte, vermutete sie gleich ein aufziehendes Gewitter, wenn ein Hund bellte, Tollwut. Mein Vater hatte sich eine gewisse Immunität gegen die Ängste meiner Mutter anerzogen. Seine Reaktion war, grundsätzlich das Beste anzunehmen. Was naturgemäß oft nicht eintrat. Ich erinnere mich an Spaziergänge in strömendem Regen und an Unwetter auf Berggipfeln. Außerdem plante mein Vater bei unseren Wanderungen fast immer zu lange, zu anstrengende, zu schwierige Routen ein. Entweder mit Klettersteigen oder durch endlose schattige Täler oder es ging stundenlang bergauf, bergab. Am fatalsten ging die Sache meistens aus, wenn mein Vater bei zunehmender Erschöpfung meiner Mutter und mir eine Abkürzung vorschlug. Sie endete grundsätzlich damit, dass wir uns verirrten und doppelt so lange unterwegs waren, als wir unterwegs gewesen wären, wenn wir die Abkürzung nicht genommen hätten. Die Abkürzungen bzw. das Verirren erforderte die Überquerung von Bächen auf spitzen Steinen, die mein Vater für uns ins Bachbett legte, den Sprung über einen Wasserlauf, bevor er sich als Wasserfall über hohe Felsen stürzte, den Kampf durch Unterholz, Brombeerbüsche und Brennnesseln. Das Problem dabei war, dass meine Mutter mit immer weiter zunehmender Erschöpfung darauf bestand, das Unheil von Anfang an gesehen zu haben. Sie hatte ja gleich vor der einzelnen Wolke am Himmel gewarnt, vor der Wanderung an sich, vor der Sauna und dem Turnverein. Darin verbiss sie sich dann und argumentierte sozusagen vom Unheil aus rückwärts. Und das ununterbrochen. Ich glaube, meine Mutter war der Ansicht, dass der Mensch an sich nicht zum Wandern gemacht ist. Tut er es trotzdem, kommt es folgerichtig zu Unannehmlichkeiten wie Überanstrengung, Muskelkater, Wadenkrämpfen.

Im schlimmsten Falle zum Tod durch Erschöpfung. Und wieso setzt man sich um Himmels willen mit wildfremden Menschen bei großer Hitze nackt in einen engen Raum, bis der Schweiß nur so hinuntertropft auf die Bänke und auf den Boden? Warum Völkerballspielen? Welchen Sinn sollte es haben, wenn erwachsene Männer so erbittert um einen Ball kämpften, dass sie mit den Köpfen aneinanderkrachen, bis das Blut in Strömen über das Gesicht läuft? Liegt nicht im Spiel selbst schon die Gefahr? Besonders beim Völkerball?

Als Kind steht man da ganz schön zwischen den Fronten. Hielt man sich an den Vater, standen einem womöglich große Strapazen bevor, hielt man sich an die Mutter, geschah praktisch gar nichts.

Der Hass zwischen meinen Eltern brach nie offen aus. Ich habe sie nie lautstark streiten gehört wie die Eltern von Basti zum Beispiel, die so laut stritten, dass, wenn wir im Hof unter ihrem Schlafzimmerfenster spielten, jedes Wort verstanden. Auch bei den Rosenfeldts ging es oft hoch her. Der Hass meiner Eltern war unterschwellig. Man konnte ihn immer spüren, aber, wie bei allen Geheimnissen, nichts beweisen.

Interessant war, dass sich die Mädchen für das Unterschwellige besonders interessierten. Die Buben schienen es oft gar nicht wahrzunehmen und wenn doch, dann gingen sie einfach weg. Für uns Mädchen war das vollkommen unverständlich. Merkte denn der Hansi gar nicht, dass seine Mutter ihren Hass auf seinen Vater an ihm auslebte? Hansi zuckte nur die Achseln und ging weg. Merkte Frank nicht, dass sein Vater ihn unterschwellig verachtete, weil er dicklich und unsportlich war? Frank spielte weiterhin mit Begeisterung Völkerball unter den Augen des ihn verachtenden Vaters. War Theo eigentlich klar, dass seine Mutter eine Außenseiterin in unserer Siedlung war, mit der die meisten anderen nichts zu tun haben wollten? Theo ließ sich nichts anmerken. Wusste Basti, dass sein Vater ein stadtbekannter Frauenheld war, der seine Frau ununterbrochen betrog? War es ihm egal oder genügte es ihm, mit blauen Augen und blonden Locken durch die Siedlung zu spazieren und alle um ihn herum zu entzücken? Und warum wehrte sich Markus nicht gegen das Ansinnen seiner Mutter, ihn in ein Internat zu stecken, damit sie nicht noch mehr geschwächt würde von der Erziehung ihres willensstarken Sohnes und mehr Zeit hätte, sich seinem Vater zu widmen, der viel zu schön für die Frau mit der langen Nase und den Fettwulsten war?

Wenn ich es mir heute überlege, dann scheint mir da bereits die Quelle zu vielen Missverständnissen zwischen Männern und Frauen zu liegen. Die Frauen interpretieren, die Männer handeln. Die Frauen sind gekränkt, wenn ihre Anspielungen nicht beachtet werden, die Männer, wenn ihr Handeln nicht gewürdigt wird. Ich habe lange gebraucht, um mir die Unsitte des Interpretierens abzugewöhnen. Die Welt und die Menschen einfach zu nehmen, wie sie sind. Heute bin ich am empfindlichsten dort, wo sich jemand ein Bild von mir macht, und dann von mir verlangt, dass ich es erfülle.

Im Hinterhof gründeten wir eines Tages den »Verein gegen die Mütter«. Bedingung für die Mitgliedschaft war ehrlicher Hass. Besonders uns Mädchen war die Vereinsgründung ein großes Anliegen. Die Buben machten eher aus Solidarität mit. Vielleicht hatten sie ja unter den Müttern wesentlich weniger zu leiden als wir. Möglicherweise lag es an ihrem lächerlichen Ding zwischen den Beinen, vor dem die Mütter Respekt hatten, oder die Buben erinnerten sie an ihre Männer oder Buben wurden grundsätzlich anders erzogen als Mädchen. Jedenfalls taten sie sich schwer bei unseren Vereinssitzungen, die einmal in der Woche stattfanden. Während der Vereinssitzung musste nämlich jedes Mitglied mindestens zwei Schandtaten der Mütter aufzählen. Während wir Mädchen in allen Details schilderten, wie hinterhältig die Mütter uns in eine Falle lockten, um, wenn wir dann ein kleines Vergehen zugaben, zu triumphieren und sofort zu unverhältnismäßigen Maßnahmen zu greifen: Hausarrest (besonders bei Edda), Scheitelknien (Ilse und Emma), tagelanges Schweigen (meine Mutter), Drohung mit dem Kinderheim (Sonja), fielen den Buben meist zunächst gar keine Schandtaten der Mütter ein. Nach langem Nachdenken schilderten sie dann knapp und kommentarlos die schrecklichsten Folterungen: Einweisung ins Internat (Markus), Verfolgung um den Esstisch mit Teppichklopfer (Hans), Jähzornanfälle mit Eindreschen des Ledergürtels mit Schnalle auf den nackten Hintern (Theo), unzählige Liegestütze (Frank). Machte den Buben das nichts aus? Hielten sie es am Ende für gerecht? Gehörten Folterungen von Anfang an zu ihrem Alltag? Rätsel über Rätsel. Nur Basti fiel überhaupt keine Schandtat seiner Mutter ein. Er sagte, seine Mutter sei das liebste Wesen der Welt und habe ihn überhaupt noch nie bestraft. Basti wurde sofort aus dem Verein ausgeschlossen. Wie schließlich alle Buben nach einigen Sitzungen. Denn was brachten schon die knappen Schilderungen irgendwelcher Gräueltaten? Uns Mädchen ging es um etwas ganz anderes. Uns ging es darum, zu schildern, wie die Mütter zuerst Vertrauen aufbauten, sich sozusagen einschleimten, indem sie sich neben uns setzten, von ihrer Kindheit erzählten, Lobeshymnen über ihre eigenen Mütter verbreiteten, unsere Lieblingskuchen buken, uns hinter dem Rücken der Väter Süßigkeiten zusteckten und uns auf diese Weise weichklopften, um dann, urplötzlich, wenn wir von irgendeinem harmlosen Streich erzählten, den wir beispielweise dem Herrn Bartik gespielt hatten, erbarmungslos zuzuschlagen. Wir mussten sogar eine Redezeitbeschränkung für Mädchen einführen, weil die geschilderten Ungerechtigkeiten der Mütter immer mehr ausuferten. Kurz nachdem wir die Buben aus dem Verein ausgeschlossen hatten, verloren wir die Lust am Hass auf unsere Mütter und lösten den Verein wieder auf.

Erinnerung ist nicht steuerbar. Sie muss gereizt werden. Wenn nichts uns reizt, blättern wir in alten Fotoalben. Und erkennen dort mit Entsetzen, dass alles das, wogegen wir uns in der Erinnerung gewehrt haben, in unseren eigenen Gesichtern widergespiegelt ist. Das ist nicht unser Gesicht, sagen wir uns, nicht unsere Frisur, nicht unsere Kleidung, nicht unsere Körperhaltung. Wir sind beschämt über das Ausmaß der Anpassung, das aus den Fotos spricht.

Ich stehe auf den Natursteinplatten am Teich zwischen Vöestsiedlung und Kolczak. Das Gesicht halte ich schief zur Kamera gerichtet. Meine kinnlangen, glatten Haare sind mit Spangen straff aus dem Gesicht gehalten. Die Kleidung schlottert um den dünnen Körper. Mit der linken Hand stütze ich mich auf einen Regenschirm. Ich lächle dümmlich. Ich kann das Mädchen auf dem Foto nicht in Verbindung bringen mit dem Mädchen, das auf den rund um den Teich liegenden Natursteinplatten träumt und in den Sternenhimmel starrt.

Wir waren an einem Samstag bei Neumond um Mitternacht verabredet gewesen. Markus, Edda, Theo, Hans, Basti und ich waren gekommen. Hans war wie jeden Samstag allein zu Hause gewesen, Edda und Basti ebenfalls. Markus und Edda, deren Wohnungen jeweils im Parterre lag, waren aus dem Fenster geklettert, Theo war einfach bei der Wohnungstür hinausmarschiert. Emma und Ilse hatten es anscheinend nicht geschafft, sich heimlich davonzustehlen. Bei mir war es einfach gewesen. Ich hatte ja Übung beim Schleichen auf dem Kriegspfad. Am Samstagabend hatte ich Glück gehabt: Eine Familienfeier! Die Erwachsenen hatten viel Bowle getrunken. Onkel Otto und Tante Jetti waren wie immer um Punkt zehn Uhr abends aufgebrochen. Mein Vater hatte wie immer angeboten, sie heimzufahren. Onkel Otto hatte wegen des Alkoholkonsums meines Vaters wie immer abgewinkt und telefonisch ein Taxi bestellt. Am Telefon hatte er sich wie immer mit Oberinspektor Fausthuber vorgestellt. Onkel Otto hatte Recht gehabt mit dem Alkoholkonsum meines Vaters. Nachdem meine Verwandten gegangen waren, hatte ich genau gesehen, dass meine Eltern auf dem Weg zum Badezimmer ein wenig gewankt hatten. Erfahrungsgemäß schliefen sie nach Familienfeiern mit Bowle besonders tief. Ich ging auch sofort ins Bett. Der Rest war leicht gewesen. Zehn Minuten vor Mitternacht schlich ich lautlos durch die Wohnung, sperrte lautlos unsere Wohnungstür auf und lautlos wieder zu, schlich lautlos durchs Treppenhaus zur Haustür und sperrte auch sie lautlos auf und zu.

Es war eine warme Julinacht und Neumond. Sonst hätten wir die Sterne gar nicht gesehen. Über Linz lag meistens eine Dunstglocke von der Vöest, sodass man fast nie einen klaren Sternenhimmel sah. Wenn noch dazu Vollmond war, sah man überhaupt keinen einzigen Stern am Himmel. Wir legten uns flach auf die Platten um dem Teich. Zuerst sahen wir nur einen schwarzen Himmel. Aber nach einer Weile hatten sich die Augen an die Dunkelheit gewöhnt und die ersten Sterne wurden sichtbar. Es war überwältigend. Ich hatte offenbar bis dahin noch nie um Mitternacht bei Neumond in einen Sternenhimmel geschaut. Es kann in

Wirklichkeit damals gar nicht so überwältigend gewesen sein wie viel später der Sternenhimmel in dem kleinen Dorf in Italien oder auf der einsamen Insel in Kroatien, wo wir bei Neumond auf dem Bootssteg direkt über dem Meer lagen und nicht nur eine, sondern gleich mehrere Milchstraßen auf einmal sahen. Aber vielleicht hätte ich als Kind so einen Anblick gar nicht ertragen. Mir genügte es vollauf, nur die Andeutung einer einzigen Milchstraße zu sehen und den Gedanken zu bewältigen, dass unsere Erde nicht mehr als ein kaum sichtbares Pünktchen am Himmel sein musste. Und ich selbst praktisch gar nichts. Ich glaube, den anderen ging es genauso. Markus sagte, dass die meisten Sterne, die wir sähen, eigentlich längst erloschen seien. »Dann könnten wir sie auch nicht sehen«, sagte Basti. Aber Hans sagte, dass der Weg von den Sternen bis zu uns so weit sei, dass das Licht unendlich viel Zeit bräuchte, um bei uns anzulangen. Alle schwiegen. »Irgendwie gruslig«, sagte Edda nach einer Weile. Finde er gar nicht, sagte Hans, und dass er eines Tages Astronaut werden und zur Milchstraße fliegen wolle. »Schon bis zum erdnächsten Stern würdest du mindestens 50 000 Jahre brauchen«, sagte Markus, aber das war Hans egal. Dann fliege er eben zum Mond, sagte er, der sei näher. Aber Markus behauptete, auch zum Mond zu fliegen sei unmöglich. (Wir schrieben das Jahr 1963.) Dann schwiegen wir wieder eine Weile. Mir war der ganze Sternenhimmel inzwischen so unheimlich, dass ich das Gefühl hatte, unter einer schweren schwarzen

Samtdecke zu liegen, in die die Motten Löcher gefressen hatten, durch die eine ganz andere, strahlende Wirklichkeit leuchtete, von der ich gar nichts wissen wollte. Die Samtdecke erdrückte mich fast. Edda setzte sich auf und starrte in den ebenfalls schwarzen Teich. »Vielleicht sitzen genau jetzt auf einem anderen Stern andere Lebewesen und schauen auf unseren Stern, der von ihnen aus auch bloß ein kleiner Punkt ist«, sagte sie. Nö, sagte Markus, er glaube nicht, dass es außer uns andere intelligente Lebewesen im Weltall gebe, das schließlich unendlich groß sei. »Eben«, sagte Hans, der in technischer, physikalischer und astronomischer Hinsicht immer optimistisch war, »wenn es unendlich groß ist, muss es auch unendlich viele andere menschenähnliche Lebewesen geben. Markus schüttelte den Kopf. »Warum sollte sich bei unendlichen Möglichkeiten eine Möglichkeit wiederholen?« Wir alle, da bin ich mir sicher, dachten angestrengt nach. Ich wurde bei dem Gedanken an Unendlichkeit immer ein wenig schwindlig im Kopf. Unendlichkeit bedeutete ja ohne Ende, und sosehr ich mich auch bemühte, mir das unendliche Weltall vorzustellen, es stieß immer an seine Grenzen. Edda hielt sich sogar die Ohren zu, um nichts mehr über die Unendlichkeit erfahren zu müssen. Theo sprang auf und ging nervös hin und her. Wir befürchteten schon einen epileptischen Anfall. Nur Basti schien zufrieden mit der Unendlichkeit. Er hatte die Arme unter dem Kopf verschränkt, schaute in den Himmel und lächelte.

Es war in meinen letzten Schulwochen vor dem Wechsel von der Volksschule ins Gymnasium. Ich war einerseits heilfroh, die neugierige Lehrerin mit ihrem Faible für blonde Mädchen und ihrer Abneigung gegen Arbeiterkinder loszuwerden, anderseits wusste man ja nie, was nachkam. Der Gedanke, dass wir statt einer einzigen Lehrerin auf einen Schlag fünfzehn verschiedene Lehrer haben würden, beruhigte mich etwas. Es konnten unmöglich alle fünfzehn Lehrer bösartig sein. Oder doch? Ilse, die nach den Sommerferien bereits in die dritte Klasse Gymnasium kommen sollte, hatte einen Biologielehrer, der Schülerinnen, die sich freiwillig meldeten, Stabheuschrecken mit nach Hause gab, damit sie beobachten konnten, dass Stabheuschrecken sich von selbst vermehrten. Einerseits interessant, andrerseits eine Gemeinheit. Ilse liebte alle Tiere, sogar Stabheuschrecken. Die Stabheuschrecken vermehrten sich aber so rasant, dass Ilse schließlich auf Befehl ihrer Mutter Hunderte Heuschrecken töten musste. Sie behauptete, dass sie seither jede Nacht von den runden schwarzen Augen der Heuschrecken träumte. Markus hatte im Internat in Waidhofen an der Thaya einen Turnlehrer, der als Strafe für Sprechen während des Volleyballspiels hundert Liegestütze aufgab, was selbst Markus alles abforderte. Ein unsportlicher Mitschüler, ein Genie in Physik und Mathematik, sei bereits beim achtzehnten Liegestütz zusammengebrochen und habe daraufhin jeden Tag nach den Studierstunden in der Freizeit ins Sprechzimmer des Turnlehrers gehen und dort vor dessen Augen jeweils fünfzehn Liegestütze machen müssen. Ich wollte mich von den Schauergeschichten über die Lehrer nicht davon abhalten lassen, mich aufs Gymnasium zu freuen, aber so richtig gelang es mir nicht. Es war eine bedrückende Zeit. Hansis Eltern hatten sich scheiden lassen und er war mit seiner Mutter nach Urfahr gezogen. Jörgi und seine Schwester Birgit waren mit ihren Eltern nach Dänemark zurückgekehrt und Theo sollte im Herbst in die Sonderschule kommen. Als er uns davon erzählte, erlitt er vor Wut einen epileptischen Anfall.

Ist es möglich, dass man vor lauter Panik vor einer ungewissen Zukunft Infektionskrankheiten bekommt? Dass ständige Angst das Immunsystem schwächt, sodass jeder dahergelaufene Virus beste Bedingungen hat, sich einzunisten und sein zerstörerisches Werk zu beginnen? Eine Art negativer Placeboeffekt.

Im Sommer 1963 bekam ich, relativ spät für mein Alter, Scharlach, was damals als höchst ansteckend und gefährlich galt. Symptome wie Ausschlag, Fieber und Halsschmerzen dauerten nämlich nur ein paar Tage an. Ohne Krankenhausaufenthalt musste man danach aber fünf Wochen im Bett bleiben, da die Gefahr einer Organschädigung bestand. Warum diese Gefahr bei Krankenhausaufenthalten nur auf zwei Wochen beschränkt war, weiß ich nicht. Penicillin bekam ich auch so. In flüssiger Form. Da die Flüssigkeit ausgesprochen ekelhaft schmeckte, wurde sie mir mit Nougatschokolade verabreicht. Das heißt: Zuerst einen Esslöffel Penicillin, dann eine kleine Tafel Nougatschokolade. Die kleine Tafel Nougatschokolade war von Bensdorp, hatte einen pinkfarbenen Einband, bestand aus fünf Schokoladerippen, die hintereinander angeordnet waren, und war meine absolute Lieblingsschokolade. Es gibt sie schon lange nicht mehr.

Nachdem meine Eltern sich Gott sei Dank für häusliche Pflege entschieden hatten, bekamen wir ein Schild an die Tür: »Achtung Infektionsgefahr!« Niemand durfte uns besuchen, und wenn mein Vater von der Arbeit oder meine Mutter vom Einkaufen zurückkamen, mussten sie die Hände dreißig Sekunden lang gründlich waschen, desinfizieren und einen weißen Kittel anziehen. In der Früh, zu Mittag und abends aßen wir alle an einem Campingtischchen neben meinem Bett. Mein Vater las sogar seine Morgenzeitung in meinem Zimmer. Abends spielten wir Mensch-ärgere-dich-nicht oder Halma oder Fang-den-Hut. Ich habe die Krankheit in allerbester Erinnerung. Ich schrieb in der Zeit meine ersten Gedichte. Mein erstes Gedicht überhaupt handelte vom Atomkrieg. Leider haben meine Eltern es mit dem Heft, in dem auch alle anderen Gedichte standen, nach meiner Scharlacherkrankung verbrannt. Wegen der Infektionsgefahr. Übrigens wurden auch die Puppen, mit denen ich gespielt hatte, entsorgt. Nur meinen Teddy konnte man Gott sei Dank mit sechzig Grad waschen. Danach war sein Fell zerfleddert und er hatte nur mehr ein Ohr. Die letzte Zeile meines ersten Gedichtes habe ich mir gemerkt. Sie lautete: »Wie soll durch Atombomben die Welt besser werden?« Die Kubakrise Ende 1962 muss mich doch sehr beindruckt haben. Meine Eltern jedenfalls weinten, als ich das Gedicht vorlas. Ich schrieb auch Kurzgeschichten in das Heft und den Anfang eines Romans. Der Titel lautete »Wendy. Ein Kriminalroman«, und er handelte von zwei vertauschten Prinzessinnen, die wegen der Verwechslung in großer Armut lebten. Ständig fand sich irgendeine Leiche in der Badewanne, im Keller, im Schlafzimmer der beiden. Soweit ich mich erinnere, ging es um irgendeine Intrige bei Hofe. Auch die Verwechslung hing damit zusammen. Meine Eltern mussten sich abends alles anhören, was ich geschrieben hatte, und ich kann sagen, sie waren begeistert. Oder taten wenigstens so. Es war eine schöne Zeit.